JN063742

MacBook Benrisugiru! Techniques

MacBook
便利すぎる!
テクニック

standards

CONTENTS

SECTION **3** 標準アプリの活用テクニック

SECTION 4 各種デバイスとの連携テクニック

MacBookがもっと便利にもっと快適になる最

仕事や勉強、プライベートで毎日活躍するMacBook。しかし本来の先進的でパワフルな実力を最大限引き出すに

本書では、MacBookをもっとしっかり活用したいユーザーへ向けて、上級者が駆使するテクニックや賢い操作法、

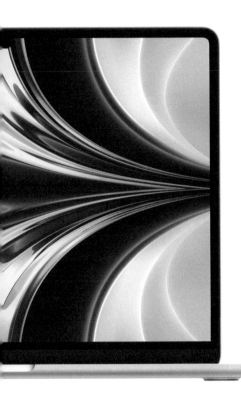

斤ツールと技あり操作、ベストなアプリが満載!

cOSの隠れた便利機能や最適な設定、効率的な操作法、目的に合ったベストなアプリを知ることが大事。
ウツールを多数紹介。日々の使い方を劇的に変える1冊になるはずだ。

macOSのアップデートについて

本書の記事では、macOS VenturaをインストールしたMacBookの操作法を解説している。あらかじめmacOSがVenturaにアップデートされているかどうか確認しよう。

1 システム設定を開く

「ソフトウェアアップデートがあります」と表示される場合もある

画面左上のAppleメニューやDockで「システム設定」をクリック。続けて、メニューで「一般」→「ソフトウェアアップデート」をクリックする。

2 アップデートを開始する

今すぐアップデート

クリック

アップデートがある場合は「今すぐアップデート」や「今すぐ再起動」というボタンが表示されるので、クリックしてアップデートを開始する。

macOSが最新状態の場合は

macOS Ventura 13.3.1 (a) (22E772610a)
前回の確認: 今日 22:14
この Mac は最新の状態です

macOSが最新状態の場合は、インストール済みのバージョンと共に「このMacは最新の状態です」と表示される。

今注目すべき
最旬テクニック

macOS Venturaで搭載されたステージマネージャや
話題沸騰中のChatGPT、Appleシリコンでも問題なくWindowsを
起動できるようになったParallels Desktopなど、MacBookユーザーの
間で今最も注目されている旬の機能やアプリを徹底解説。

001

ステージ
マネージャ

新しいスタイルのマルチタスク機能
ステージマネージャで効率的な
ワークスペースを作成

■ 新しいウインドウ管理機能に切り替えてみよう

　macOS 13 Venturaで搭載された注目の新機能が「ステージマネージャ」だ。画面がウインドウだらけになって作業に集中できないといった状況を回避する新しいマルチタスク機能で、ステージマネージャを有効にすると、作業中のウインドウ以外はすべて左側（Dockを左に配置している時は右側）にサムネイルでまとめられる。左側のサムネイルをクリックすれば、その

ウインドウが画面中央に展開し、これまで作業していたウインドウは左側にサムネイルで収納される。メインで作業するウインドウを左側のスペースから出し入れするイメージだ。また、複数のウインドウをグループ化して1画面に表示させることも可能だ。たとえば、原稿執筆用のエディタと資料をまとめたグループや、動画編集用のアプリとビデオをまとめたグループ、メールやSMSをまとめたグループなどを作成しておけば、左側のサムネイルをクリックするだけで必要なグループをさっと切り替えながら効率的に作業できる。

ステージマネージャを開始する

1 コントロールセンター
で機能をオンにする

メニューバーのコントロールセンターをクリックして開き、「ステージマネージャ」をクリックすると機能が有効になる。

2 メニューバーから
機能を切り替える

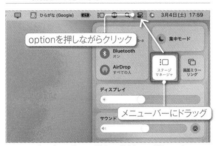

ステージマネージャのボタンをドラッグしてメニューバーにドラッグして追加しておくと、optionを押しながらクリックして機能をオン／オフできる。

3 ショートカットキーを
設定する

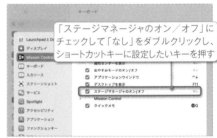

ショートカットキーで機能をオン／オフするには、「システム設定」→「キーボード」→「キーボードショートカット」→「Mission Control」で設定。

4 ステージマネージャが
利用可能になった

ステージマネージャ有効時にアプリを起動すると、画面中央にウインドウが表示され、それまで開いていたウインドウは画面左側にサムネイルでまとめられる。サムネイルをクリックするとウインドウを切り替えでき、ウインドウ外をクリックするとデスクトップが表示される。

画面左側のサムネイルには、最近利用したウインドウが最大6つ（画面サイズに応じて変わる）表示され、クリックして素早く表示を切り替えできる。また、ウインドウ単体だけではなく複数のウインドウをまとめたグループもここに表示され、切り替えて利用できる

使用中のウインドウのみが画面中央に表示されるので作業に集中できる。作業Aで使うウインドウのグループと作業Bで使うウインドウのグループ、さらにSNS用のグループなどを作成しておき、画面左のサムネイルで切り替えながら効率的に操作しよう。デスクトップ上のファイルにアクセスするにはウインドウ外をクリックする

ステージマネージャの各種操作

1 ウインドウの移動やサイズ変更

ウインドウの移動もサイズ変更も通常の操作と同じ

ウインドウの移動やサイズ変更の操作は通常時と特に変わらない。タイトルバーをドラッグすれば移動でき、ウインドウの端をドラッグするとサイズ変更できる。

2 画面左のサムネイルを表示させる

ポインタを画面左に移動すると、隠れていたサムネイルが表示される

ウインドウサイズを画面左側まで大きくすると、サムネイルは自動で隠れる。ポインタを画面左に移動するとサムネイルが再表示される。

3 複数のウインドウをグループ化する

サムネイルから画面中央にドラッグ。shiftキーを押しながらサムネイルをクリックしてもよい

サムネイルのウインドウを画面中央にドラッグするとグループ化され、ひとつの画面に複数のウインドウを表示できる。

4 グループ化したウインドウを解除する

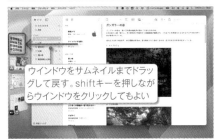

ウインドウをサムネイルまでドラッグして戻す。shiftキーを押しながらウインドウをクリックしてもよい

グループ化したウインドウを解除したい時は、ウインドウを画面左のサムネイルまでドラッグして戻せばよい。

5 アイコンをクリックして一覧表示する

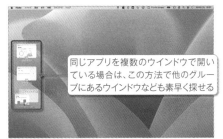

同じアプリを複数のウインドウで開いている場合は、この方法で他のグループにあるウインドウなども素早く探せる

サムネイル上のアプリアイコン部分をクリックすると、そのアプリで開いているウインドウがすべて一覧表示される。

6 サムネイルに表示されていないウインドウに切り替える

トラックパッドを3本指で上にスワイプしてMission Control を開くと、開いているアプリやウインドウがすべて表示される

サムネイルは最大で6つしか表示されない。その他のウインドウやグループに切り替えるには、Mission Control で一覧表示して探そう。

ステージマネージャの設定を変更する

1 ステージマネージャの設定画面を開く

「システム設定」→「デスクトップとDock」を開き、「ステージマネージャ」項目にある「カスタマイズ」をクリックすると設定画面が開く。

2 デスクトップ項目をオンにする

デスクトップのファイルが表示されドラッグ&ドロップなども可能になる。デスクトップでファイルを整理している人はオンにしたほうが使いやすい

「デスクトップ項目」をオンにすると、デスクトップ上のファイルやフォルダが表示されるようになり、ドラッグ&ドロップなどの操作も可能になる。

3 ウインドウを1つずつ表示に変更する

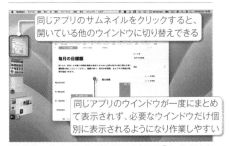

同じアプリのサムネイルをクリックすると、開いている他のウインドウに切り替えできる

同じアプリのウインドウが一度にまとめて表示されず、必要なウインドウだけ個別に表示されるようになり作業しやすい

アプリケーションウインドウの表示方法を「ウインドウを1つずつ表示」に変更すると、同じアプリのウインドウを一度に開かず個別に表示できる。

最大化したウインドウは新たな操作スペースに移動する

⌯POINT　ウインドウの最小化や最大化ボタンを押した場合の動作

ウインドウの最小化ボタンを押すと、ウインドウ外をクリックした際と同様に左のサムネイルに格納されてデスクトップが表示される。最大化ボタンを押すと、ステージマネージャから外れて新しい操作スペースとして開くので、Mission Controlを表示して操作スペースを切り替える必要がある（No009で解説）。最大化を解除すると元のステージマネージャ画面に戻る。

002

連係カメラ

高画質なiPhoneカメラでWeb会議ができる

iPhoneをWebカメラにする
連係カメラ機能

利用条件を満たしていればすぐ使える

MacBookの内蔵カメラはあまり画質が良くないので、オンライン会議などの利用に不満を覚える人も少なくないだろう。しかしiPhone XR以降のiPhoneがあれば、「連係カメラ」機能で高画質なiPhoneのカメラをMacBookのWebカメラとして利用できる。下で記載している利用条件を満たせば使えるが、センターフレーム機能はiPhone 11以降が、スタジオ照明の適用はiPhone 12以降が必要となる点に注意しよう。また下の記事で紹介しているような、iPhoneをMacのディスプレイに取り付けるマウンタもあると便利だ。マウンタがない場合は、普通のスマホスタンドでも代用できる。

連係カメラ機能の利用条件

- macOS Ventura以降にアップデートしたMac
- iOS 16以降にアップデートしたiPhone XR以降
- iPhoneとMacは同じApple IDでサインイン
- BluetoothとWi-Fiがオン
- 「設定」→「一般」→「AirPlayとHandoff」→「連係カメラ」がオン

iPhoneのカメラをMacBookのカメラとして使う

MacBookのディスプレイにiPhoneを取り付けられる連係カメラ対応のマウント

iPhoneの高画質なカメラをMacBookで利用できる

MacBookの連係カメラ機能に対応したマウンタ

**Belkin
iPhone Mount
with MagSafe
for Mac Notebooks**
メーカー／Belkin
実勢価格／3,600円（税込）

Magsafe対応のiPhone用磁気アタッチメント。iPhoneをMacBookのディスプレイに固定可能だ。iPhoneのリンググリップやスタンドとしても使える。

**MOFT
ノートパソコン用フリップスマホマウント**
メーカー／MOFT
実勢価格／3,880円（税込）

MacBookのディスプレイ背面に貼り付けて、iPhoneを磁気で固定できるホルダー。使わないときは、折りたたんで貼り付けたまま持ち運びできる。

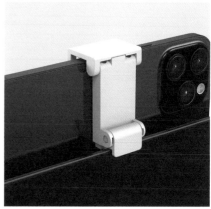

**吉川優品 Macbook iPhone
連携カメラ マウント**
メーカー／川の信芸
実勢価格／1,264円（税込）

連係カメラ対応のシンプルなiPhoneホルダー。磁気を使わず、クランプ式でがっちりとiPhoneをホールドするので抜群の安定感がある。

連係カメラ機能をZoomのオンライン会議に使う

オンライン会議でも普通のカメラのように使える

では、実際にMacBookとiPhoneの連係カメラ機能を使ってみよう。ここでは、「Zoom Meetings」アプリを用い、オンライン会議を行う場合の設定方法を紹介する。難しい設定は必要なく、カメラに「iPhoneのカメラ」、オーディオに「iPhoneのマイク」を選ぶだけだ。

Zoom Meetings
作者／Zoom Video Communications, Inc
価格／無料
入手先／https://zoom.us/

FaceTimeでも連係カメラ機能が使える

macOSの標準アプリであるFaceTimeでも連係カメラ機能が使える。FaceTimeのアプリケーションメニューの「ビデオ」から、「iPhoneのカメラ」と「iPhoneのマイク」を選択してチェックマークを付けておけばOKだ。

選択する

1 Zoom Meetingsのアプリで環境設定を開く

Zoom Meetingsのアプリを起動したら、自分のアカウントにサインインしておこう。次に、アプリケーションメニューの「Zoom.us」から「環境設定」を選択する。

3 iPhoneのマイクを使う場合はオーディオ設定を変える

「iPhoneのマイク」を選択

iPhoneのマイクを音声入力用に使いたい場合は、設定画面のサイドバーで「オーディオ」をクリック。マイクに「iPhoneのマイク」を選択しておこう。

2 「ビデオ」の設定でカメラを「iPhoneのカメラ」にする

設定のサイドバーから「ビデオ」を選択したらカメラを「iPhoneのカメラ」にしておこう。するとiPhoneの背面カメラが起動して、映像がプレビューされる。

4 あとは通常通りオンライン会議をはじめよう

これで設定は完了。あとは通常通りオンライン会議をはじめてみよう。iPhoneのカメラだと、MacBook内蔵のカメラよりも明るく鮮明な映像になる。

連係カメラのエフェクト機能を使う

FaceTimeなどの対応アプリで使える機能

FaceTimeなどの一部アプリでは、連係カメラの利用中に「エフェクト」が使える。エフェクトには、被写体を常に中心に収める「センターフレーム」、背景をぼかす「ポートレート」、背景を暗くして被写体を明るくする「スタジオ照明」、机の上を映せる「デスクビュー」の4つがある。

1 コントロールセンターからエフェクトを選べる

↓

カメラのエフェクトを選べる

一部アプリでは、連係カメラの使用中にコントロールセンターから「エフェクト」が選べる。「センターフレーム」や「ポートレート」などの機能を使ってみよう。

2 机の上を映せるデスクビュー機能

コントロールセンターからデスクビューを選択したら範囲を指定

↓

机の上が映せる

デスクビューは、机の手元部分を真上から撮影したような映像に加工してくれる機能だ。机に置いた資料を見せながら会議を行いたいときなどに使える。

◯ POINT

連携カメラ中はiPhoneが使えなくなるデメリットも

連係カメラの使用中は、当然ながらiPhoneが使えなくなってしまう。iPhoneとの連係カメラ機能を使わずに映像の質を上げたいのであれば、高品質なWebカメラを購入した方がスマート。本誌のおすすめは、自動光補正とノイズリダクション機能の付いたLogicoolの「BRIO 500」だ。

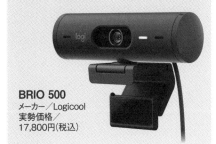

BRIO 500
メーカー／Logicool
実勢価格／17,800円（税込）

003

Windows
起動

Windows用のアプリはMacでも動かせる

MacBook上でWindowsを利用するための最新手順

1 Parallels DesktopでWindowsをインストールする

Windowsの仮想環境をMacBookにインストール

「Windows版しかないソフトやゲームをMacで動かしたい」、「業務上、MacとWindowsの2つを併用したいが、両方のパソコンを買う予算はない」。そんな悩みを抱えているMacBookユーザーのために、本記事ではMacでWindowsを動かせる便利なアプリをいくつか紹介していく。まずは、デスクトップ仮想化ソフト「Parallels Desktop」を試してみよう。Windows 11の新規ライセンスさえあれば、インストールメディア不要で手軽にWindows 11の仮想環境をセットアップ可能だ。MacのウインドウでWindowsをシームレスに起動できるため、MacとWindowsの同時使用ができる。BootCampのように、OSの切り替えでいちいち起動し直さなくてもいいのが大きなメリットだ。Mac用のデスクトップ仮想化ソフトとして長年定番であり、高い信頼性と安定した動作もポイント。Parallels DesktopとMacBookさえあれば、Windowsパソコンを新たに買わなくてもよくなるはずだ。なお、価格は買い切り版のStandard Editonが10,400円、サブスクリプション版のPro Editionが年額11,700円となっている。

Parallels Desktop 18 for Mac
作者／ Parallels International GmbH
価格／ Standard Edition 10,400円／ Pro Edition 年額11,700円
入手先／ https://www.parallels.com/jp/

Parallels DesktopでWindowsをインストールする

1 各種ディレクトリへのアクセス権限を許可しておく

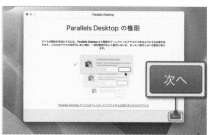

まずは、Parallels Desktopを公式サイトなどで購入してインストールしよう。上の画面で「次へ」を押し、各種ディレクトリへのアクセスを許可しておこう。

2 Parallelsアカウントにサインインする

上の画面になったら、Parallelsアカウントを作成してサインインしておこう。Apple IDやFacebookアカウント、Googleアカウントも利用できる。

3 ライセンスを入力してアクティベートしておく

Windowsのライセンスは複数の環境で利用することができないので、別のパソコンにインストールおよびアクティベートしているWindowsのライセンスをParallels Desktopで使うことはできない

Parallels Desktopのライセンスをアクティベートしておこう。まだライセンスを購入していない人は、左下の「購入」ボタンから購入手続きを進めておくこと。

4 「Windowsのインストール」をクリックする

Parallels Desktopでは、Windows 11のダウンロードとインストールを自動で行ってくれる。上の画面になったら「Windowsのインストール」をクリックしよう。

5 Windowsがダウンロードされてインストールが開始される

Windows 11のデータが自動的にダウンロードされ、自動的にインストールも行われる。途中、アクセス権限の許可が求められるので「OK」で許可しておくこと。

6 Parallels ToolboxはインストールしなくてもOK

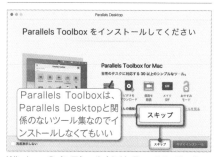

Parallels Toolboxは、Parallels Desktopと関係のないツール集なのでインストールしなくてもいい

Windowsのインストール中には、Parallels Toolboxのインストールが促される。特に必要ない場合は「スキップ」を押してインストールを飛ばしておこう。

Intelプロセッサ搭載機種ならBootCampが使える

Intelプロセッサ搭載のMacBookでは、macOSの標準機能である「Boot Campアシスタント」を使うことで、MacにWindows 10をインストールして起動させることが可能だ（Windows 11のインストールには未対応）。「Boot Campアシスタント」は、「アプリケーション」フォルダの「ユーティリティ」フォルダに入っている。なお、Appleシリコン搭載機種では、BootCamp自体が非搭載なので使うことができない。

7 Windowsの使用許諾契約に 同意する

しばらく待つと「インストールが完了しました」と表示されるので、画面をクリックしよう。Windowsの使用許諾契約が表示されるので「同意」ボタンをクリックする。

8 Windowsが起動して ブラウザで説明が表示される

インストールが終了すると、Windowsが起動する。自動的にWebブラウザ（edge）が起動し、Parallels Desktopの説明が表示されるので、目を通しておこう。

9 スタートメニューから 設定を表示してみよう

このWindowsを使うには、Windows11のライセンス認証が必要だ。画面中央下のスタートボタンを押したら、「設定」をクリックしよう。

10 Windows 11の プロダクトキーを入力する

設定画面が表示されたら「システム」→「ライセンス認証」を開き、「プロダクトキーを変更する」でWindows11のプロダクトキーを入力して認証しておこう。

Windows 11の 新規ライセンスはどこで買える？

Windows 11の新規ライセンスは、マイクロソフトの公式サイトでも購入できるが、Amazonで購入する方が比較的安い。記事執筆時点（2023年5月9日）での実勢価格は、パッケージ版のHomeで16,064円、Proで22,200円となっている。

11 MacBookで Windows 11が起動できた

これでWindowsのインストールが完了だ。今後は、Parallels Desktopを起動すれば、Windows 11をmacOSのウインドウ内で起動できるようになる。詳しい使い方は次ページから解説していく。なお、初期状態のままだとWindows 11の日本語キーボードに不具合があるので、以下で紹介した言語設定もしておくこと。

Parallels DesktopのWindows 11で言語設定を行っておく

MacBookで文字入力 できるようにする

Parallels Desktopで起動したWindowsでは、Macの日本語用キーボードを使って文字入力すると一部のキーが正しく動作しない。「@」キーを押すと「[」が入力されたり、「かな」キーや「英数」キーがうまく動作しなかったりなどの不具合があるのだ。事前に以下の設定を行っておこう。

1 Windowsの設定で 言語オプションを表示する

Windowsのスタートボタン→「設定」→「時刻と言語」→「言語と地域」で、言語リストを「日本語」のみにする。「日本語」の「…」から「言語のオプション」を選択しよう。

2 キーボードレイアウトを 日本語キーボードにする

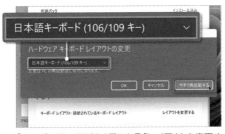

「キーボードレイアウト」欄にある「レイアウトを変更する」ボタンを押し、「日本語キーボード（106/109キー）」を選択して「今すぐ再起動する」をクリック。

3 キー割り当てを 変更する

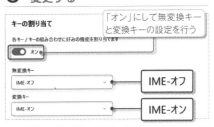

再起動後、設定から「日本語」の「言語のオプション」画面を再び表示し、「Microsoft IME」欄の「…」をクリック。「キーボードオプション」→「キーとタッチのカスタマイズ」を選択したら、上のように設定しておこう。

Parallels Desktopの基本的な使い方

MacBookのユーザフォルダがミラーリングで共有される

Parallels Desktopを起動すると、すでにセットアップしてあるWindows環境が起動する。通常のWindowsと大きく異なるのは、Mac側の「デスクトップ」や「書類」、「ダウンロード」などの各種ユーザフォルダがWindows側にミラーリング状態で共有されている点だ。これにより、MacとWindows間ですぐにファイルを共有できる。また、Windows側でアプリを起動しているときは、Mac側のDockにアプリアイコンが表示され、クリックで切り替えが可能だ。なお、Parallels Desktopを終了する場合は、メニューバーアイコンから「Parallels Desktopの終了」を選ぼう。次回起動時は終了直前の状態から再開できる。

1 Parallels DesktopでのWindowsのデスクトップ画面

「Mac Files」フォルダからMacのホームフォルダやiCloud Driveフォルダにアクセスできる

デスクトップの内容はMacと共有される

Windowsのデスクトップに表示される内容は、Macからミラーリングした状態で共有される。たとえば、Mac側でデスクトップに新規フォルダを作ったとすると、Windows側のデスクトップにも反映される仕組みだ。そのほかにもMac側の「書類」や「ミュージック」、「ダウンロード」などのユーザフォルダも共有される（下記事参照）。また、Windows側のデスクトップにある「Mac Files」フォルダを開くと、MacのホームフォルダやiCloud Driveフォルダにアクセス可能だ。

2 起動しているアプリをDockから切り替えられる

Windowsで起動中のアプリがDockに表示される

Windows側でアプリを起動すると、Mac側のDockに起動中のアプリが個別に表示される。ここをクリックすれば、Windows側のアプリを切り替え可能だ。

3 メニューバーから各種設定などが行える

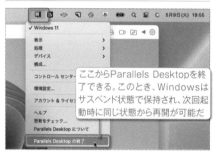

ここからParallels Desktopを終了できる。このとき、Windowsはサスペンド状態で保持され、次回起動時に同じ状態から再開が可能だ

Parallels Desktopの起動中は、Macのメニューバーアイコンから各種設定を呼び出せる。終了したい場合は、一番下の「Parallels Desktopの終了」を選ぼう。

Macからミラーリング共有するフォルダをカスタマイズする

WindowsとMacで同期するフォルダは設定で変更できる。一旦Windowsをシャットダウンして、Parallels Desktopのメニューバーアイコンから「コントロールセンター」を表示。歯車マークから構成画面を表示して「オプション」→「共有」→「Macを共有する」→「カスタマイズ」で設定を変更しよう。

Windows環境に適したショートカットキー設定を行う

ショートカットキーを使えるようにしよう

Parallels DesktopのWindowsでは、ショートカットキーが思った通りに動かない場合がある。これはWindowsとMacでショートカットキーが被っているのがおもな原因。各種設定でこれらの被りを解消しておこう。また、ファンクションキーを頻繁に使うなら「F1、F2などのキーを標準のファンクションキーとして使用」もオンにしておこう。

1 Parallels Desktopのショートカットキーを確認する

ショートカットキーの割り当てを確認して必要なら変更する

メニューバーアイコンから「環境設定」を開き、「ショートカット」→「Windows 11」をクリック。ここでは、Mac側のショートカットキーとWindows側のショートカットキーの割り当てを確認できる。

2 Mac側の使わないショートカットキーをオフにする

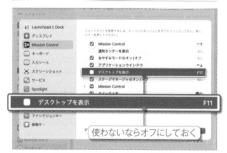

使わないならオフにしておく

Windows側では使うが、Mac側では使わないショートカットキーがあるなら、Mac側をオフにしておくといい。Macの「システム設定」→「キーボード」→「キーボードショートカット」で各種ショートカットキーを調べてみよう。

3 標準のファンクションキーを使えるようにする

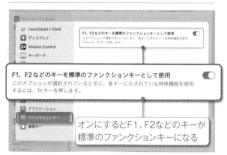

F1、F2などのキーを標準のファンクションキーとして使用
このオプションが選択されているときに、各キーに示されている特殊機能を使用するには、fnキーを押します。

オンにするとF1、F2などのキーが標準のファンクションキーになる

ファンクションキーをよく使うなら、Macの「システム設定」→「キーボード」→「キーボードショートカット」→「ファンクションキー」で、「F1、F2などのキーを標準のファンクションキーとして使用」をオンにしておこう。

「Coherenceモード」でWindowsアプリを単体で起動する

Windowsのアプリを独立したウインドウで起動する

Parallels Desktopには「Coherenceモード」という機能がある。これは、WindowsアプリをMac用アプリのように独立したウインドウで起動できるモードだ。さらに、WindowsアプリをLaunchpadに登録しておけば、いちいちParallels DesktopからWindowsを起動する必要なく、直接Windowsアプリが起動できる。Coherenceモードを終了する場合は、メニューバーアイコンから「表示」→「Coherenceの終了」を選ぼう。

1 ウインドウの青いボタンを押してみよう

Coherenceモードを使うには、Parallels Desktopのウインドウの左上にある青いボタンをクリックしてみよう。すると、Windowsのウインドウが隠れる。

2 スタートボタンから起動するアプリをクリック

Coherenceモードになったら、DockにあるWindowsのスタートボタンをクリックしてみよう。するとスタートメニューが表示されるので起動したいアプリをクリック。

3 Windowsのアプリが独立したウインドウで起動した

これでWindowsのアプリが独立したウインドウで起動する。これならWindows環境を意識することなく、通常のMac用アプリと同じように扱うことができる。なお、ウインドウを動かす際は最上部のタイトルバー部分をドラッグ&ドロップすればいい。また、ウインドウを閉じる場合は、ウインドウ右上の「×」ボタンを押そう。

4 Launchpadにアプリを登録する

↓

Dockに表示されるWindowsアプリのアイコンを右クリックしたら「Launchpadに追加」を選択してみよう。すると、WindowsアプリがLaunchpadに登録される。今後は、Launchpadから直接アプリを起動可能だ。

POINT

Windowsのデスクトップやタスクバーを表示する

Parallels DesktopでWindowsを起動しているときは、WindowsのタスクバーをMacのデスクトップに表示可能だ。メニューバーアイコンから「表示」→「Windows タスクバーを表示する」を選択してみよう。画面最下部にタスクバーが表示され、Windowsと同じように操作できる。また、「Windows デスクトップを表示する」でWindowsのデスクトップを一時的に表示することも可能だ。

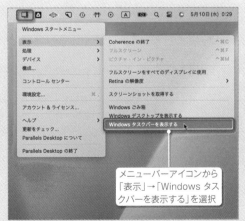

Parallels DesktopでWindowsを起動している状態で、メニューバーアイコンから「表示」→「Windows タスクバーを表示する」を選択しよう。

Macのデスクトップ最下部にWindowsのタスクバーが表示される。スタートボタンや検索欄など、通常のWindows環境とまったく同じように操作できる。

2 Windowsの新規ライセンスなしで使える「CrossOver」

手軽にWindowsアプリを起動できるエミュレーター

「CrossOver」は、Windowsのライセンスなしで、WindowsアプリをmacOSで実行できるエミュレーションアプリだ。Parallels DesktopのようにWindowsの仮想環境を起動してからアプリを実行するのではなく、直接Windowsアプリを起動できるのが特徴。手軽かつ安価にWindowsアプリを使いたい人におすすめだ。

CrossOver
作者／CodeWeavers
価格／494ドルまたは年額74ドル
（14日間無料の体験版あり）
入手先／https://www.codeweavers.
com/crossover/

CrossOverでWindowsアプリをインストールしよう

1 公式サイトからアプリをダウンロードしよう

まずは、CrossOverの公式サイトにアクセス。Mac版の「FREE TRIAL」をクリックし、名前とメールアドレスを入力すればアプリをダウンロードできる。

2 アプリをインストールして体験版を使用しよう

ダウンロードしたアプリをダブルクリックし、表示される指示に従いつつ「アプリケーションフォルダーに移動する」をクリック。アプリが起動して上の画面が表示されたら「今すぐ体験版を使用する」をクリックしよう。

3 インストールしたいWindowsのアプリ名を検索

Windowsアプリ名を検索

CrossOverが起動したら、画面左下の「インストール」をクリック。インストールしたいWindowsアプリの名前を検索しよう。CrossOverは、インストールに対応したアプリリストから好きなものを選び、アプリのインストールを行う仕組みだ。対応アプリリストには、海外製の有名ゲームから日本製のテキストエディタなど、幅広いアプリが登録されている。ただし、リストにあるすべてのアプリが正しく実行できるとは限らず、アプリによっては不具合が出るものもあるようだ。各アプリの動作状況は、アプリ名の下にある★マークで判断しよう。

対応アプリリストを検索してヒットしたアプリが表示される

★★★★★ 全く問題なく実行

CrossOver上で正しく実行できるかどうかが★マークで評価されている

4 目的のアプリのインストーラーをダウンロード

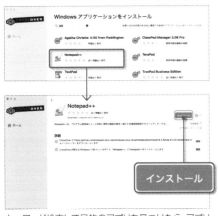

インストール

キーワード検索して目的のアプリを見つけたら、アプリ名をクリック。アプリの説明などが表示されるので確認し、問題なければ「インストール」をクリックしよう。

5 アプリのインストーラーが起動する

インストーラーが起動するのでインストールを進める。なお、アプリによっては文字化けなどの不具合が発生することがある

CrossOverでは、対応アプリのインストーラーを自動でダウンロードしてくれる。インストーラーが起動したら画面の指示に従ってインストールを進めよう。

6 Windowsアプリが起動する

アプリが起動した

アプリによってはインストール後に自動で起動する。起動しない場合は、CrossOverのボトル一覧からアプリ名を選んで起動しよう（右ページで解説）。

対応アプリリストにないWindowsアプリをインストールする

未登録アプリもインストーラーがあればインストールできる

CrossOverでは、対応アプリリストに登録されていないアプリもインストール可能だ。その場合は、自分でインストーラーをダウンロードしておく必要がある。インストーラーが入手できたら、CrossOverの画面左下にある「インストール」から「未登録のアプリケーションをインストールする」をクリック。上の「編集」ボタンでインストーラーのファイルを指定し、下の「編集」ボタンでボトル名などを設定しよう。あとは「インストール」を押せばインストールされる。ただし、アプリによってはうまく動かない可能性もある。

1 Windowsアプリのインストーラーを入手する

目的のアプリがCrossOverの検索で見つからない場合、対応アプリリストに登録されていない可能性がある。そのときは、アプリの公式サイトからWindows用のインストーラーをダウンロードしておこう。

2 「未登録のアプリケーションをインストールする」をクリック

CrossOverを起動したら、画面左下にある「インストール」をクリック。画面右上の「未登録のアプリケーションをインストールする」をクリックしよう。

3 インストールの設定を行う

①ここをクリックしてインストーラーを選択
②ここをクリックしてボトルの設定を行う

ボトル名とボトルのタイプを選ぶ

上の画面が表示されたら、2つある「編集」ボタンでインストーラーの選択とボトルの設定を行っておこう。インストーラーの選択では、先ほどダウンロードしたWindowsアプリのインストーラー（exe形式など）を選択する。ボトルの設定では、ボトル一覧で表示するボトル名とボトルのタイプ（Windowsの種類）を設定すればいい。64ビット用のアプリであれば、ボトルのタイプも64ビットにしておくこと。

4 アプリをインストールする

インストール

アプリが起動できた

設定が終わったら「インストール」をクリック。インストーラーが起動するので、インストール手順を進めよう。無事にインストールが終われば、CrossOverからアプリを起動できる。

CrossOverでインストールしたWindowsアプリを管理する

1 インストールしたアプリを起動する

ダブルクリックでアプリ起動

インストールしたアプリは、CrossOverのボトル一覧に表示される。アプリを起動するには、ここからアプリ名を選んでアプリアイコンをダブルクリックすればいい。

2 起動中のアプリを終了する

起動したアプリを終了する場合は、アプリケーションメニューからアプリ名をクリックして「～を終了」を選べばいい。またはウインドウ自体を閉じても終了する。

3 アプリ（ボトル）をアンインストールする

CrossOverでインストールしたアプリをアンインストールしたい場合は、画面左側のボトル一覧からアプリを選び、「ボトルを削除」を実行しよう。

004

AIツール

注目のAIツールをMacBookで使いこなそう
話題のChatGPTと
最新AIツールを利用する

高度なAIを使って作業を効率化してみよう

ここ最近話題沸騰中のAIチャットサービス「ChatGPT」をはじめとする、高度なAI技術を利用したサービスやツールが次々と登場している。これらの最新AIツールは、優秀なアシスタントとして仕事の効率化に役立てた

り、創作活動の刺激やヒントを与えてもらったりなど、さまざまな用途で活用することが可能だ。ここでは、今注目されている代表的なAIツールをいくつか紹介し、MacBookで扱うための方法を解説していく。AIを使いこなせるかどうかは、今後重要なスキルとなっていくと予想される。まだ触ったことがない人は、これを機会に試してみよう。

---

1 今からでも遅くない! AIチャットサービス「ChatGPT」の使い方

AIチャットサービスの本命を今すぐ体験しておこう

「ChatGPT」は、OpenAIが開発した高性能なAIチャットサービスだ。質問や要望をテキストで入力すると、膨大な学習データから導き出した回答を自然な会話文で返してくれるのが特徴。使い方次第では、文章を添削したり、プログラムのコードを書いたりなど、さまざまな作業のアシスタント役としても活躍してくれる。誰でも無料で使えるので、実際に試してみよう。

ChatGPT
作者／OpenAI
価格／無料
URL／https://chat.openai.com/

アカウントを作成してChatGPTにログインしておこう

1 ChatGPTのサイトで新規アカウントを作成する

新規アカウント作成時は、メールアドレスや名前、誕生日、携帯電話番号を入力し、SMSで送られる認証コードの入力が必要になる

ChatGPTを利用するにはOpenAIのアカウントが必要だ。WebブラウザでChatGPTのサイトにアクセスしたら、「Sign up」で新規アカウントを作成しておこう。

2 GoogleアカウントやMicrosoftアカウントでもログインできる

すでにGoogleアカウントやMicrosoftアカウントを持っている人は、「Log in」から各種アカウント認証を行い、ChatGPTにログインする方法がおすすめ。

ChatGPTの基本的な使い方

1 ChatGPTのチャット画面で質問してみよう

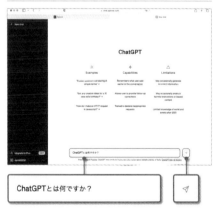

ChatGPTとは何ですか?

ChatGPTにログインすると、上のような画面になる。画面最下部にあるチャット欄で質問を入力したら、右端の紙飛行機マークを押してチャットを送信しよう。

2 回答が表示されるのでさらに質疑応答を進めていこう

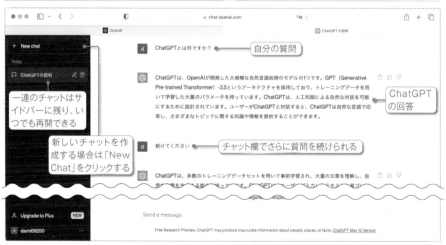

一連のチャットはサイドバーに残り、いつでも再開できる

新しいチャットを作成する場合は「New Chat」をクリックする

自分の質問

ChatGPTの回答

チャット欄でさらに質問を続けられる

ChatGPTによる回答が表示される。質問を続けたい場合は、画面下のチャット欄でさらに質問を送信しよう。ChatGPTは一連のチャットによる会話を記憶して答えてくれるのが特徴。そのため、自然な会話の流れで質疑応答が行える。たとえば「続けてください」とチャット送信した場合は、前の回答をさらに補足して答えてくれるのだ。

ChatGPTを使うとどんなことができる?

質問次第でさまざまなタスクを実行してくれる

ChatGPTは、「自由の女神はいつ作られたの?」や「鮭を使ったレシピを教えて」など、知りたいことをそのまま単純に質問すれば、それに答えてくれる。とはいえ、これでは従来のSiriなどのアシスタント機能とあまり変わらない。ChatGPTの真価を発揮させるなら、質問の仕方を工夫しよう。たとえば、ここで挙げた例のように質問をすれば、文書を要約したり、記事のアイディアを出してもらったり、プログラムのコードを生成してくれたりなどができる。

1 指定したURLのページ内容を日本語で要約してくれる

> 次のURLに書いてあることを要約してください。
> https://openai.com/blog/chatgpt

> この記事はOpenAIが発表したChatGPTと呼ばれる言語モデルについて紹介しています。ChatGPTは、GPT-3のアーキテクチャをベースにした大規模な言語モデルで、人間との自然な対話をシミュレートす

「次のURLに書いてあることを要約してください」と書いてURLを続けて入力すれば、そのページに書かれていることを要約してくれる。英語のサイトでも日本語で要約してくれるので便利だ。

2 子どもでもわかる文章で説明してもらう

> これ以降の会話は小学生4年生の子どもでもわかるように答えてください。
> ChatGPTとはなんですか?

> ChatGPTは、人工知能の一種で、テキストベースのコミュニケーションを行うことができるプログラムです。つまり、人間が言葉で質問や会話をすると、ChatGPTはその言葉を理解し、適切な返答を

「これ以降の会話は小学1年生の子どもでもわかるように答えて」と対象年齢を指定すると、できるだけわかりやすい言葉づかいで回答してくれる。それ以降の一連のチャットでも、その言葉づかいは反映される。

3 文章の添削や校正をしてもらう

> 次の文章を校正してください。
>
> ChatGPTは、「自由の女神はいつ作られたの?」や「鮭を使ったレシピを教えて」など、知りたいことをそのまま単純に質問すれば、それに答えて

> ChatGPTは、「自由の女神はいつ作られたの?」や「鮭を使ったレシピを教えて」といった、知りたいことをそのまま単純に質問すれば、それに答えてくれます。ただし、これだけでは従来の検索エンジンやSiriなどのアシスタント機能とあまり変わらないと言えます。ChatGPTの真価を発揮するた

「次の文章を校正してください」と質問して、校正したい文章を貼り付けると、正しい文章に直してくれる。若干表現が丁寧すぎたり、回りくどくなったりもするので完璧ではないが、簡単な文章の添削には十分使える。

4 ブログ記事のヒントを出してもらう

> ChatGPTの記事を書こうと思っています。読者が知りたいことを箇条書きで教えてください。

> 以下は、読者が知りたいかもしれないいくつかのトピックの例です。
>
> * ChatGPTはどのように構築されているのか?
> * GPT-3.5アーキテクチャとは何ですか?
> * ChatGPTはどのように訓練されましたか?
> * ChatGPTがどのように人工知能の分野に貢献しているのか?

「○○の記事を書こうと思っています。読者が知りたいことを箇条書きで教えてください」と質問すると、記事にするべきトピックを教えてくれる。「箇条書きで」と書けば、返答時のフォーマットも指定可能だ。

5 マーケティングの手法を提案してもらう

> MacBookの使い方を解説した本を作りました。マーケティングのアイディアを5つ考えてください。

> 1. ソーシャルメディアでのプロモーション: マックブックユーザーやAppleファンのコミュニティーにアプローチして、自分の本を宣伝することができます。特に、TwitterやInstagramのようなビジュアルプラットフォームを活用することで、グラフィックやイメージを使ったマーケティングを行うことができます。
> 2. メディア露出: 自分の本をレビューしてくれるブ

「○○という商品を作ったので、マーケティングのアイディアを5つ教えて」と質問すれば、どう宣伝すればいいのかのアイディアを出してもらえる。売りたい商品の情報などを詳しく書けば、回答もより適切になる。

6 オリジナルの歌詞を考えてもらう

> アイドルをテーマにした歌詞を考えてください。

> 歌詞例:
>
> 「キラキラアイドル」
> (作詞:ChatGPT)
>
> 目を閉じても　あなたが見える
> きらめくステージで　輝く姿
>
> たくさんの人々に　夢を与える
> あなたの笑顔が　愛を広げる

テーマを与えて歌詞を考えてもらうこともできる。内容はありきたりなものになりがちだが、歌詞作りのヒントにはなりそうだ。同じように漫画や小説のあらすじを考えてもらうことも可能だ。

7 プログラムのコードを作ってもらう

> "こんにちは"と画面に表示するコードを教えて

> 以下はPythonで「こんにちは」という文字列を画面に表示するコードです。

```python
print("こんにちは")
```

> このコードを実行すると、「こんにちは」という文字列が画面に表示されます。ただし、使用するプロ

ChatGPTは、プログラムのコードを生成するのも得意だ。「"こんにちは"と画面に表示するコードを教えて」などと、作りたいプログラムの内容を伝えるだけで、サンプルとなるコードを表示してくれる。

Safariで「return」キーを押すとすぐチャットが送信されてしまう問題の対処法

SafariでChatGPTを使っている場合、日本語変換の確定時や質問に改行を入れるときに「return」キーを押すと、その時点でチャットが送信されてしまう。これを回避するには、変換確定時や改行時に「shift」+「return」キーを使うといい。なお、Google Chromeを使う場合、この問題は起きない。

☞ POINT

ChatGPTを扱う上での注意点を知っておこう

ChatGPTを実際に使うとわかるが、質問内容によっては、回答に明らかな間違いや嘘が含まれていることがある。また、最新の情報にも対応していないので注意だ。そのほかにもいくつか気を付けておくべき点があるので、以下をチェックしよう。

◉回答に間違いが含まれることがある
ChatGPTの回答には間違いが含まれることがある。自分の知らない分野について聞いたときは、正誤の判断が付きにくいので注意したい。

◉最新の情報には対応していない
ChatGPTは、2021年9月までのデータを基に学習を行っているため、それ以降に発生した事象など最新の情報については回答できない。

◉情報のソース元が明示されない
ChatGPTは、何の情報を元に回答しているのかが明示されない。そのため情報の正確性や信頼性を担保することができない。

◉機密情報が流出する危険性がある
質問内容は、OpenAIの開発者に見られたり、学習データとして使われる可能性がある。機密情報は流出の恐れがあるため、質問しないように。

適切な回答を得るためのプロンプトを使いこなそう

質問の仕方には
いくつかのコツがある

ChatGPTに入力する質問文のことを「プロンプト」と呼ぶ。ChatGPTでは、漫然な質問をすると的外れな回答になってしまうことが多い。適切な回答を得るためには、このプロンプトをどう記述するかが重要になる。以下では、いろいろな質問に使えるプロンプトの例を紹介しよう。

ChatGPTに役割を与えて
制約条件で精度を高めるプロンプト

ChatGPTの役割を指定

 # 命令文:
あなたは、[プロの編集者]です。以下の制約条件と入力文に従って、最高の[記事タイトル]を出力してください。

出力したいものを指定

 # 制約条件:
- 文字数は20文字程度
- 10個のタイトル案を出してください
- 読者の対象は30〜40歳のビジネスマン
- 印象に強く残る言葉を使ってください

 # 入力文:
ここ最近、今話題になっているAIチャットサービス「ChatGPT」をはじめとする、高度なAI技術を利用したサービスやツールが次々と登場している。これらの最新AIツールは、優秀なアシスタントとして仕事の効率化に役立てたり（以下略）

 # 出力文:

命令文、制約条件、入力文などを別々に指定するプロンプト。「あなたはプロの編集者です」とChatGPTに役割を与え、制約条件を箇条書きすることで精度の高い返答が得られる。これはnote.comのCXO深津貴之氏が考案した「深津式プロンプト」と呼ばれている。上のオレンジ色の文字部分を変えることで、いろいろな質問に応用可能だ。右の画像は、実際にこのプロンプトを使って質問した結果だ。

 # 命令文
あなたは、[プロの編集者です]です。以下の制約条件と入力文に従って、最高の[記事タイトル]を出力してください。

 # 制約条件
- 文字数は20文字程度
- 10個のタイトル案を出してください
- 読者の対象は30〜40歳のビジネスマン
- 印象に強く残る言葉を使ってください

 # 入力文:
ここ最近、今話題になっているAIチャットサービス「ChatGPT」をはじめとする、高度なAI技術を利用したサービスやツールが次々と登場している。これらの最新AIツールは、優秀なアシスタントとして仕事の効率化に役立てたり、創作活動の刺激やヒントを与えてもらったりなど、さまざまな用途で活用することが可能だ。ここでは、今注目されている代表的なAIツールをいくつか紹介し、MacBookで扱うための方法を解説していく。AIを使いこなせるかどうかは、今後重要なスキルとなっていくと予想される。まだ触ったことがない人は、これを機会に試してみよう。

 # 出力文:

1. 「未体験のAIツールにチャレンジ！」
2. 「ビジネスマン必見！AIツール活用術」
3. 「AIがもたらす効率化と創造性の世界」
4. 「最新AIツールをMacBookで使いこなす」
5. 「ビジネスパフォーマンス向上のためのAIツール活用法」
6. 「30〜40歳のビジネスマンに贈る、AI活用の魅力」
7. 「今、話題のAIツールでビジネスを変革せよ」
8. 「AIアシスタントが仕事をサポートする時代」
9. 「AIが刺激する創造性とアイデアの発想法」
10. 「ビジネスマンにとって欠かせないAIツールの活用術」

指定した制約条件や入力文に応じて、適切な回答が得られる

知っておくと役立つプロンプト豆知識

1 回答に対してさらに質問して深掘りしていく

これらのアイテムは、ギターを始めるときに必要なものの基本的なリストです。ただし、これらに加えて、さらに多くのアイテムが必要になる場合があります。

回答に対してさらに質問を続ける

予算5万円で収めるには何を買えば良いですか？

予算5万円で、初心者用の良質なギターセットを組むことができます。以下は、おすすめのアイテムリストです。

1. ギター - 5万円以内で購入できる、エントリーレベルのエレクトリック・アコースティックどちらかを選ぶと良いでしょう。YAMAHA、Fender、Epiphoneなどのブランドがおすすめで

ChatGPTは、一連のチャットの内容を覚えているため、回答に対してさらに質問を続けられる。次々質問して話題を深掘りしていこう。ただし、新しい話題に変えるときは新規のチャットを開始した方がよい。

2 表形式で回答を出力する

日本の有名な車メーカーを5つ教えてください。出力は以下の表形式にしてください。
|メーカー名|本社の場所|

メーカー名	本社の場所
トヨタ自動車株式会社 (Toyota Motor Corporation)	愛知県豊田市
本田技研工業株式会社 (Honda Motor Co., Ltd.)	東京都港区南青山
ニッサン自動車株式会社 (Nissan Motor Co., Ltd.)	神奈川県横浜市
マツダ株式会社 (Mazda Motor Corporation)	広島県広島市
三菱自動車工業株式会社 (Mitsubishi Motors Corporation)	東京都千代田区

ChatGPTは、回答を表形式で出力することが可能だ。表のフォーマットは「｜｜メーカー名｜本社の場所｜｜」のように、「｜」で項目を区切ることで指定できる。これなら、テキストだけの回答よりもグッと見やすい。

3 チャットGPTから自分に質問してもらう

これから部屋の掃除をします。私は掃除が苦手なのでアドバイスがほしいです。どこから片付けるべきかあなたが判断できるまで、私に質問してください。

はい、掃除のアドバイスをお手伝いします。まず最初に、部屋全体を見て、どこから始めるかを決めるのはどうでしょうか？

以下の質問に答えていただくことで、効率的な掃除の方法を提案できます。

1. 今、部屋の中で最も散らかっている場所はどこですか？
2. 片付けるのに最も時間がかかる場所はどこですか？
3. 片付けるのに最も力を入れたい場所はどこです

部屋の掃除のアドバイスをもらいたいときに、「どこから片付けるべきかあなたが判断できるまで、私に質問してください」などと聞いてみよう。ChatGPTからの質問に答えていく形でタスクを進めることができる。

ChatGPTには「GPT-3.5」と「GPT-4」の2種類がある

月額20ドルで高性能なGPT-4が使える

現在無料で使えるChatGPTでは、「GPT-3.5」と呼ばれる言語モデルが使われている。2023年3月には最新の「GPT-4」が公開されており、こちらは月額20ドルの有料プラン「ChatGPT Plus」で利用が可能だ。GPT-3.5とGPT-4には大きな性能差があり、GPT3.5が小学生、GPTが大学生ぐらいの知能だと言われている。ChatGPTをより深く使いこなしたいのであれば、以下の手順で有料プランを契約しておくといい。

1 「Upgrade to Plus」から支払い手続きを行う

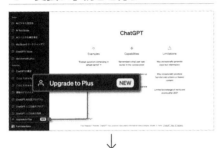

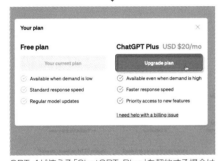

GPT-4が使える「ChatGPT Plus」を契約する場合は、画面左下の「Upgrade to Plus」をクリックしよう。さらに「Upgrade Plan」をクリックし、クレジットカードなどで支払い手続きを済ませておく。

2 言語モデルを「GPT-4」にして質問してみよう

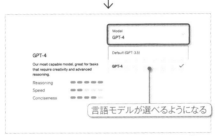

言語モデルが選べるようになる

支払い手続きが終わったら、「Continue」→「Try GPT-4」をクリックして新規チャット画面を開こう。画面上部で言語モデルをGPT-3.5かGPT-4で選択できるようになる。チャットを行う前に選択しておこう。

⊂⊃ POINT

ChatGPT Plusの特徴と注意点を知っておこう

ChatGPT Plusで利用できるGPT-4は、GPT-3.5と比べてどこが優れているのかを以下で簡単にまとめてみた。なお、GPT-4は質問の回数制限があるので使いすぎに注意しよう。

◉より正確な回答をしてくれる
GPT-3.5では間違った回答も多いが、GPT-4だと正確性が向上。また、今後のアップデートで画像による入力も可能になるとのことだ。

◉レスポンスが早い
GPT-4は、GPT-3.5に比べ、回答のレスポンスが高速になっている。待ち時間が少なくすむのでストレスなく質疑応答が可能だ。

◉有料版ユーザーは優先的に使える
サーバーが混雑している場合、無料版のユーザーはアクセス制限で使えないことがあるが、有料版ユーザーは優先的に使えるようになる。

◉質問は1時間に25回まで
ChatGPTは、現在利用者数が急増しているため、質問の回数制限が行われている。GPT-4の場合は、現在3時間に25回までになっている。

ChatGPTのAPIキーを発行する

APIキーは他のアプリと連携するときに使用する

最近では、ChatGPTと連携できるアプリやサービスなども増えてきている。このとき必要になるのが、ChatGPTのAPIにアクセスするための「APIキー」だ。以下の手順でAPIキーの発行をして、アプリやサービス側に登録して使おう。なお、ChatGPTのAPIは、使った分だけ料金がかかる従量課金制となる。GPT-3.5の場合1000トークン（日本語1文字＝1〜3トークン）あたり0.002ドルだ。なお、ChatGPT Plusの有料版ユーザーでもAPI利用料金は発生する。

1 公式サイトでアカウント管理画面を表示

OpenAI platform
https://platform.openai.com/

APIキーを取得する前に、まずは支払い方法の登録を行う。上記の公式サイトにアクセスしてOpenAIアカウントでログインしよう。右上のアカウントマークをクリックして「Manage account」をクリック。

2 「Billing」から支払い手続きを行う

個人利用の場合はここをクリック

次の画面では、左端のメニューから「Billing」をクリック。「Set up paid account」をクリックし、支払い手続きを進めていこう。個人の場合は「I'm an individual」から支払い情報を入力すればいい。

3 APIキーを発行しよう

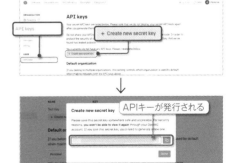

APIキーが発行される

支払い情報の設定終わったら、「API Keys」から「Create new secret key」をクリック。APIキーの名前を設定すると、APIキーが発行される。これを連携させるアプリやサービス側に登録して使おう。

2 ｜ 最新の情報を調べたいときに便利な「Microsoft Bing」

無料でGPT-4ベースの AIチャットが使える

Microsoftの検索エンジン「Bing」には、GPT-4をベースにしたチャットモードが搭載されている。ChatGPTと異なり、質問するとWebサイト上から最新情報を検索しつつ答えてくれるのが特徴だ。そのため、最新ニュースや今流行っている音楽などの話題にも回答してくれる。

1 Microsoft Edgeを ダウンロードしておく

Mac版をダウンロードしておく

Microsoft Edge
作者／Microsoft　価格／無料
入手先／https://www.microsoft.com/
en-us/edge/download

BingのAIチャットは、Microsoft Edge以外のブラウザでも使える。しかし、ほかのブラウザだとまれにチャット画面が開けないことがあるようだ。その場合は、Microsoft Edgeを利用しよう。

2 Microsoft Edgeで Bingを起動する

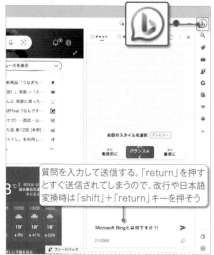

質問を入力して送信する。「return」を押すとすぐ送信されてしまうので、改行や日本語変換時は「shift」+「return」キーを押そう

Microsoft Edgeを起動したら、Microsoftアカウントにサインインしておこう。次に画面右上のBingマークをクリックする。画面右端にBingのチャット画面が表示されるので、入力欄に質問を記入して送信しよう。

3 対話形式で 質疑応答を行おう

すると、BingがWebサイトの最新情報を検索しつつ、質問に答えてくれる。回答の最後には参照元にしているWebサイトのリンクが表示されるため、何の情報を参照にしたかもわかる。

3 ｜ ついに日本語入力にも対応した「Google Bard」

公開されたばかりの 最新AIチャットサービス

Googleが現在試験運用中のAIチャットサービスが「Google Bard」だ。ChatGPTと違い、「LaMDA」という言語モデルを使用し、より自然な対話で創造的な回答を得られやすい傾向がある。最新の情報にも対応しており、回答のレスポンスが比較的早いのもポイントだ。

1 Google Bardの 公式サイトにアクセスする

Bardなら、
初めてのソロキャンプ向けの
持ち物リストを作ってくれる

Bard を試す

Google Bard
作者／Google
価格／無料
URL／https://bard.google.com

Google Bardの公式サイトにアクセスしたら、Googleアカウントにログインして「Bardを試す」をクリック。利用規約などが表示されるので、一番下までスクロールしたら「同意」→「続行」をクリックしよう。

2 チャット欄に 質問を入力しよう

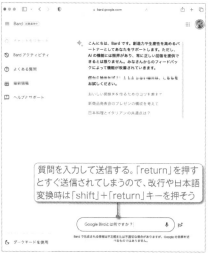

質問を入力して送信する。「return」を押すとすぐ送信されてしまうので、改行や日本語変換時は「shift」+「return」キーを押そう

画面下にチャット欄が表示されるので、質問したいことを記入して送信ボタンをクリックしよう。なお、BardはGPTベースではないが、ChatGPTと同じようなプロンプトを使うことができる。

3 回答は3つまで 用意してくれる

他の回答案を表示

しばらく待つと回答が表示される。なお、「他の回答案を表示」をクリックすると、3つの回答案を示してくれる。最初に表示された回答が間違っていても、この中に正しい回答が含まれていることがあるのでチェックしよう。

次世代のアプリや サービスを体験しよう

最後に、ChatGPTやBingと連携して使えるMac用アプリや、高度なAI技術を利用した注目のWebサービスなどを紹介しておこう。ChatGPTの言語モデルを利用した翻訳ツールをはじめ、AIとの対話でデザインできるプレゼン資料制作サイトなど、どれも画期的なサービスだ。

メニューバーから すぐにChatGPTを利用できる

MacGPT
作者／Jordi Bruin
価格／任意の金額で購入可能
入手先／https://www.macgpt.com/

メニューバーからChatGPTにアクセスできるアプリ。アプリを起動して表示された画面でChatGPTにログインすれば初期設定は完了。ChatGPTのAPIキーがなくても使うことが可能だ。

Microsoft BingのAIチャットを メニューバーから起動

MacBing
作者／Jordi Bruin
価格／任意の金額で購入可能
入手先／https://goodsnooze.gumroad.com/

「MacBing」は、メニューバーからMicrosoft BingのAIチャット画面を開いてくれるアプリだ。起動したらMicrosoftアカウントにサインインしておこう。いちいちブラウザを起動するより素早く利用できる

ChatGPTを利用して 文章を翻訳してくれる

OpenAI Translator（Chrome用拡張機能）
作者／yetone
価格／無料
入手先／https://bit.ly/3pulaKS

ChatGPT APIを利用するChrome用の拡張機能。ページ上で選択した文章を即座に翻訳してくれる。翻訳精度は、AI翻訳サービスで有名な「DeepL」と同じぐらい高い。利用にはChatGPTのAPIキーが必要だ。

AI音声認識エンジンを搭載した 文字起こしサービス

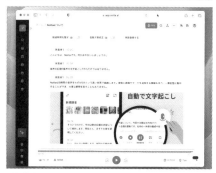

Notta
作者／Notta
価格／無料（有料プランあり）
入手先／https://www.notta.ai/

リアルタイムの対面会話やオンライン会議の音声、インタビューした録音データなどを、AI音声認識技術でテキスト化してくれるサービス。議事録作成の手間を大幅に削減できる。ChatGPTとの連携機能も搭載予定だ。

落書きからAIイラストに 変換してくれる

Scribble Diffusion
作者／Replicate
価格／無料
入手先／https://scribblediffusion.com/

マウスで線画を描き、テキスト（英文）でその絵の説明を入力すると、AIがリアルな写真風イラストなどに変換してくれるサービス。適当に書いた落書きがどのように変化するかを試すだけでも面白い。

AIとの対話を進めるだけで プレゼン資料を作れる

Gamma
作者／Gamma Tech, Inc.
価格／無料（有料プランあり）
入手先／https://gamma.app/

「Gamma」は、AIをアシスタントにしてプレゼン資料を作れるサービスだ。AIの提案や質問に答えていくだけで、美しいデザインの資料を作ってくれる。なお、今のところ英語にしか対応していない。

POINT

オフィスツールの作業を AIが支援してくれる Microsoft 365 Copilot

Microsoftが開発している「Microsoft 365 Copilot」は、AIとの対話によって自動で書類を作ったり、デザインを整えたりできるビジネス支援ツールだ。WordやExcelなどのオフィスツールで、AIに命令したり、支援してもらいながら作業できるのが特徴だ。たとえば、Wordで作成したいものをチャットでAIに伝えて、見出しなどの大きさを適切に調整したり、長い文章の要約を作ってもらったり、といったことが可能だ。これにより、今まで時間のかかっていた作業が短時間で完了できるようになる。なお、記事執筆時点（2023年5月14日）では、招待された一部の企業のみで使うことが可能だ。

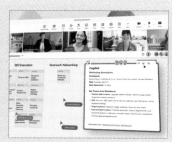

今のところ、招待された一部の企業のビジネスユーザーのみ使える。将来的に個人ユーザーも利用できるようになるかは不明だ。

005

動画編集

今最も注目されている動画編集アプリを使いこなす

無料で本格的な動画編集を行えるDavinci Resolve

ハリウッドでも使われている高性能な動画編集ツール

「DaVinci Resolve」は、プロフェッショナルな編集を実現するハイエンドな動画編集アプリだ。無料アプリにもかかわらず、カット編集やトランジション、タイトル（字幕）、エフェクトなど、動画編集アプリに必要な機能はほぼ網羅。より高度な機能を搭載した有料版「DaVinci Resolve Studio」（42,980円）も用意されているが、一般的なYouTubeの動画編集用途なら無料版で十分だ。多機能なわりに画面がごちゃつかず、直感的に操作できるインターフェイスも秀逸。頻繁に使うトランジションやタイトルといった機能にはすぐアクセスできるため、思い付いたアイディアを即座に反映させやすく、複雑な編集も高速にこなすことが可能だ。なお、App Storeからダウンロードしたバージョンは一部機能に制限があるため、公式サイトからアプリをダウンロードしよう。

DaVinci Resolve
作者／Blackmagic Design Inc
価格／無料
入手先／https://www.blackmagicdesign.com/jp/products/davinciresolve/

DaVinci Resolveのインストールと初期設定を行う

1 公式サイトからダウンロードするアプリを選ぶ

まずは、DaVinci Resolveの公式サイトで「今すぐダウンロード」をクリック。アプリの種類が表示されるので、Studioが付いていない方の「Mac OS X」ボタンをクリック。ここではベータ版のバージョン18.5を入手した。

2 個人情報を登録してインストーラーをダウンロード

名前やメールアドレス、電話番号などを入力

DaVinci_Resolve_18.5b._ac.dmg

ダウンロード完了

個人情報の登録ページになるので、名前やメールアドレス、電話番号、住所などを入力しよう。画面右下の「登録＆ダウンロード」をクリックすると、インストーラーがダウンロードできる。

3 アプリをインストールする

ダウンロードしたインストーラー（dmgファイル）をダブルクリックして開いたら、中に入っているインストーラーを起動してアプリをインストールしておく。

4 初期設定を済ませて設定画面を開く

アプリを起動したら初期設定を済ませておこう。もし、アプリのインターフェイスが英語表記だった場合は、「DaVinch Resolve」→「Preferences」を開く。

5 言語設定を日本語にしておこう

Languageを「日本語」にしておく

設定画面上部の「User」タブを開く。「UI Settings」の「Language」を「日本語」にして、「Save」→「OK」をクリックしたら、アプリを再起動しよう。

有料版の「DaVinci Resolve Studio」は何が違う？

有料版では、編集作業を高速化できるGPUアクセラレーションや、自動AI領域トラッキングなどに対応したDaVinci Neural Engine、高性能なノイズ除去ツール、30種類以上の追加エフェクト、人間の肌をキレイに修正するフェイス＆ビューティーツールなど、さまざまな機能が追加される。まずは無料版で扱い方に慣れて、物足りなくなったら有料版を購入するといい。

機械学習およびAIを用いたさまざまな機能を搭載。自動的に顔を検出・追跡して、肌をキレイに修正することも可能だ。

動画の素材を取り込んで編集して書き出すまでの流れを覚えておこう

カットページで初心者でも簡単に動画編集ができる

Davinci Resolveの基本的な使い方を把握するために、素材を取り込んでタイムラインに配置し、書き出すまでの流れを紹介しておこう。本アプリでは、動画編集用の画面に「カットページ」と「エディットページ」の2つのページが用意されている。まずは初心者にも扱いやすいカットページでの編集方法を紹介していく。

1 素材となるファイルをメディアプールに取り込んでおく

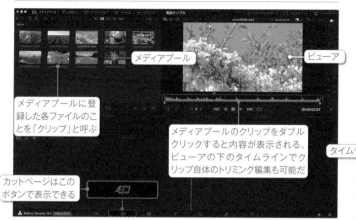

メディアプール

ビューア

メディアプールに登録した各ファイルのことを「クリップ」と呼ぶ

メディアプールのクリップをダブルクリックすると内容が表示される。ビューアの下のタイムラインでクリップ自体のトリミング編集も可能だ

カットページはこのボタンで表示できる

まずは「ファイル」→「新規プロジェクト」でプロジェクト名を入力し、新規プロジェクトを作成。初期状態では簡易的なカット編集が行える「カットページ」が表示される。動画の素材となる各種ファイルをメディアプールにドラッグ&ドロップして登録しておこう。

2 タイムライン上にクリップを並べてみよう

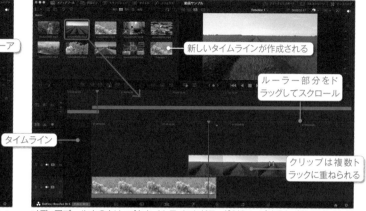

新しいタイムラインが作成される

ルーラー部分をドラッグしてスクロール

タイムライン

クリップは複数トラックに重ねられる

メディアプール内のクリップをタイムラインにドラッグ&ドロップすると、新しいタイムラインが作成される。このタイムラインに複数のクリップを並べていくのが動画編集の基本だ。なお、クリップを複数のトラックで重ねると、基本的に一番上の動画が表示される。

3 上下のタイムラインを使い分けて効率よく編集しよう

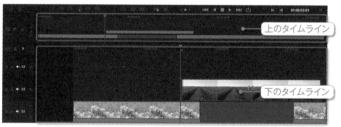

上のタイムライン

下のタイムライン

カットページには上下2つのタイムラインが存在する。上はタイムライン全体、下は一部を拡大して表示している。どちらもクリップの配置や移動などの編集が可能だ。上のタイムラインで大まかに編集して、下のタイムラインで細かい部分を調整するといい。

4 タイムラインに並べたクリップの位置や長さ、再生シーンの位置を変更する

ドラッグで再生シーンの位置をずらす

ドラッグでクリップの位置を変更

ドラッグでクリップの長さを変更

タイムライン上のクリップは、ドラッグ&ドロップで位置を調整できる。また、クリップの端部分をドラッグしてクリップの長さをトリミング、クリップ中央のマークをドラッグして(クリップの長さを変えずに)再生するシーンを前後にずらすことが可能だ。

5 音楽ファイルを配置してBGMにする

インスペクタ

クリップを選択して「インスペクタ」からボリュームなどを調節できる

タイムラインの一番下にドラッグ&ドロップする

音楽ファイルもタイムラインに配置できる。このとき上もしくは下のタイムラインの一番下の部分にドラッグ&ドロップするといい。クリップの長さなども調整しておくこと。ボリュームは、クリップを選択した状態で画面右上の「インスペクタ」から調節できる。

6 動画をクイックエクスポートで書き出す

クイックエクスポート

書き出したい動画形式を選んで「書き出し」をクリック

タイムライン全体を再生して問題なければ、動画ファイルとして書き出してみよう。画面右上の「クイックエクスポート」をクリックすると、上の画面が表示されるので、書き出したい動画形式を選択。「書き出し」で保存先を選べば書き出しが実行される。

エディットページでトランジションやタイトルテキストを配置する

動画編集で よく使う機能を覚えよう

「カットページ」で大まかな編集を行ったら、「エディットページ」に切り替えて、高度な編集作業に移っていこう。以下では、動画編集では欠かせない、シーン切り替え時のトランジション（シーン切り替え時の効果）やタイトルテキストの配置方法を紹介しておく。これを覚えておけば、少し凝った印象の動画が作れるようになる。

1 エディットページの 基本的な構成

画面下の「エディット」ボタンでエディットページに切り替えられる。カットページと大きく異なるのは、ビューアがソースビューアとタイムラインビューアの2つになり、タイムラインが1つだけになる点だ。カットページとエディットページはいつでも切り替えられる。

2 エディットページにある タイムラインの使い方

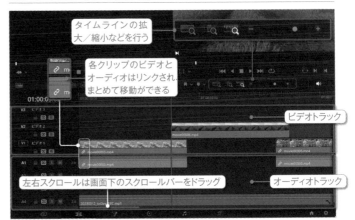

エディットページのタイムラインでは、ビデオとオーディオの各トラックが上下に分かれて表示される。また、タイムラインの上あるスライダーやボタンを操作して、タイムライン内の拡大および縮小が可能だ。左右のスクロールはスクロールバーを操作しよう。

3 「エフェクト」で トランジションを配置する

画面左上の「エフェクト」をクリックすると、エフェクトパネルが左下に表示される。ここからトランジションの一種である「クロスディゾルブ」を選び、クリップが切り替わる場所にドラッグ&ドロップしてみよう。

4 配置したトランジションの 設定を行う

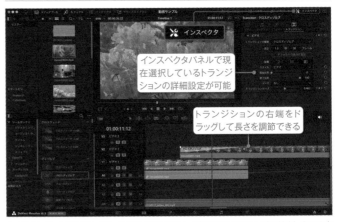

タイムライン上でトランジションの長さなどドラッグで調節することが可能だ。2つのクリップの長さも変更しつつ、トランジションの効果内でシーンが切り替わるようにしよう。より詳細な設定をしたい場合は、トランジションを選択してインスペクタパネルで行う。

5 動画内にタイトルテキストを配置してみよう

動画中にタイトルテキストを入れたい場合は、エフェクトパネルのタイトル一覧から好きなタイトルをドラッグ&ドロップしよう。タイトルは最上部のビデオトラックに配置するのが基本だ。タイムライン上でタイトルの長さを調節したら、インスペクタパネルでタイトルの文字やフォント、カラー、効果などを設定しておこう。

より高度な編集機能を使って動画のクオリティを上げていこう

カラーページや Fairlightページを使おう

Davinci Resolveは、カラーグレーディング（動画の色味などを調整して、臨場感や雰囲気を出す）機能が非常に優れている。「カラーページ」でシーンごとに色味を変えたり、エフェクトを加えたりなどの編集を行おう。また、「Fairlightページ」では、複数のオーディオトラックの音量バランスや加工を行うことが可能だ。

1 「カラーページ」でシーンごとの色調を変更する

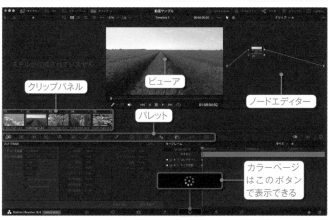

クリップパネル
ビューア
ノードエディター
パレット
カラーページはこのボタンで表示できる

画面下の「カラー」ボタンを押すと、動画のカラーグレーディングが行えるカラーページに切り替わる。シーンごとに色調を変えたり、よりキレイに見えるように補正したりなどの作業が行おう。ここでは、簡単な色調補正の方法を紹介しておく。

2 編集するクリップを選んでカラーホイールなどで色調を変更しよう

編集するクリップを選択
パレットからカラーホイールを選択
色調調整のリセットはここをクリック
各ホイールをドラッグして色調を調整する

クリップパネルには、エディットページでタイムラインに配置したクリップが順番に並んでいる。ここから編集するクリップを選択。パレットからカラーホイールを選択したら、画面左下の各ホイールをドラッグ&ドロップして色調を調整していこう。

3 カラーページのエフェクトをノードに追加してみよう

fx エフェクト

クリップを選択
エフェクトをノードにドラッグ&ドロップ

カラーページの右上にある「エフェクト」をクリックしてエフェクトパネルを表示。ここからさまざまな効果をクリップに適用できる。クリップパネルでクリップを選択し、適用したいエフェクト見つけたら、ノードエディターにあるノードの上にドラッグ&ドロップしてみよう。

4 配置したトランジションの設定を行う

エフェクトを削除

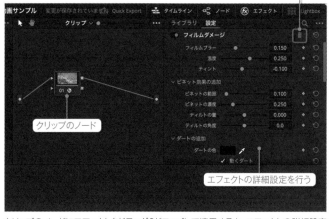

クリップのノード
エフェクトの詳細設定を行う

クリップのノードにエフェクトをドラッグ&ドロップして適用すると、エフェクトの詳細設定が表示される。ビューア画面で効果を確認しながら、各種数値を調整していこう。エフェクトを削除したい場合は、ゴミ箱アイコンをクリックすればいい。

5 「Fairlightページ」でオーディオトラックの調整を行う

Fairlightページはこのボタンで表示できる

各トラックごとの音量を調節する

画面下の「Fairlight」ボタンを押すと、オーディオトラックの編集や加工が行える。オーディオトラックごとの音量を調整したい場合は、右下に表示されているフェーダーを上げ下げすればいい。

有料版限定の機能は動画に透かし文字が入る

各種エフェクトなどをクリップやノードに配置したときに、以下のようなウインドウが表示されることがある。これは有料版限定の機能であることを示している。無料版でも機能を試すことはできるが、動画に透かし文字が入るので注意しよう。

006
ランチャー

使いこなすほどに生産性が上がる「Raycast」を導入しよう
いつもの操作を劇的に高速化できるランチャーアプリ

ショートカットキーであらゆる操作を効率化

「Raycast」は、ショートカットキーやコマンド入力でさまざまな操作を素早く行える無料のランチャーアプリだ。macOSに標準搭載されているSpotlightの機能を超強力にしたものと考えればいい。インストール後、アプリはメニューバーに常駐し、「option」＋スペースキーでいつでもランチャー画面を呼び出すことができる。最も基本の使い方としては、アプリ名を入力して検索し、即座に起動するといったもの。さらに、あらかじめ用意されたコマンドを入力することで、ファイル検索やカレンダーの確認、クリップボード履歴、定型文（スニペット）の呼び出し、ウインドウの位置・サイズ調整など、さまざまな機能を呼び出せる。使いこなせば各種操作が高速化して生産性も向上するはずだ。

Raycast
作者／Raycast Technologies, Ltd.,
価格／無料
入手先／https://www.raycast.com/

AI機能などを追加したPro版は月額課金で使える

Raycastは、月額8ドルでPro版にアップグレード可能だ。Pro版はChatGPTを使ったAI機能が追加され、素早く質問に回答してくれるようになった。また、クラウド機能による複数デバイスの同期、テーマの変更などにも対応している。

Raycastのインストールと初期設定を行おう

1 公式サイトからアプリをダウンロード

まずは、Raycastの公式サイトにアクセスしよう。表示されたページの「Download for Mac」をクリックして、dmgファイルを入手しておく。

2 アプリをアプリケーションフォルダに入れる

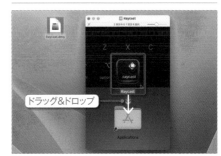

ダウンロードしたdmgファイルをダブルクリックして開いたら、Raycastのアプリアイコンをドラッグ＆ドロップしてアプリケーションフォルダに入れておこう。

3 Raycastを起動して初期設定を行う

LaunchpadからRaycastを起動したら、上の画面で初期設定を行おう。設定はあとから変更できるので、よくわからなければすべて初期状態のままでOKだ。

4 Raycastを起動するショートカットキーを決める

初期設定の「Launch option」画面では、Raycastを起動するショートカットキーなどを設定できる。これも基本は初期状態のままにしておこう。

Raycastの基本的な使い方を覚えておこう

1 「option」＋スペースキーでRaycastを起動する

Raycastはメニューバーに常駐するタイプのアプリだ。「option」＋スペースキー（初期設定時）を押せば、画面の中央にRaycastの画面がいつでも表示される。

2 キーワードを入力してアプリを素早く起動する

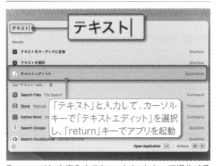

Raycastは、文字入力やショートカットキーで操作するのが基本。たとえば「テキスト」と入力して「テキストエディット」アプリを検索し、「return」キーで起動可能だ。

3 コマンドを使ってファイルを検索

Raycastは、コマンド入力でさまざまな機能が使える。たとえば、「s」と入力して表示された候補から「Search Files」コマンドを実行すれば、ファイル検索が可能だ。

コマンドを使ってカレンダーやリマインダー機能を呼び出す

コマンド入力で
目的の操作を実行しよう

Raycastの機能の多くは、コマンドを文字入力することで素早く実行できる。たとえば、「My Schedule」とコマンド入力して「return」キーを押せば、カレンダーのイベントを表示可能だ。なお、コマンドは、最初の数文字や単語の頭文字など入力するだけでも候補に表示される。

コマンドでカレンダーのイベントを確認する

1 「My Schedule」コマンドを入力して実行する

カレンダーに登録したイベントを確認したい場合は「My Schedule」コマンドを使う。Raycastに「my」だけ入力し、候補からコマンドを選んで実行しよう。

2 直近の登録イベントが表示される

すると、カレンダーアプリに登録されている直近のイベントが一覧表示される。なお、初回起動時は「Grant Access」ボタンでアクセス許可をすること。

3 カレンダーアプリで予定を確認できる

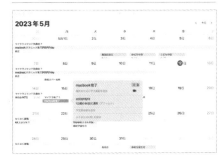

Raycast上で表示されたイベントを選んで「return」キーを押せば、カレンダーアプリが起動。イベントの詳細を確認することが可能だ。

コマンドとアクションを使ってリマインダーを登録する

1 「My Reminders」コマンドを入力して実行する

次は「My Reminders」コマンドでリマインダー機能を実行する。上のように「m r」と単語の頭文字をスペースで区切って入力しても、コマンドを候補に表示できる。

2 新規リマインダーを作成するアクションを実行

登録されているリマインドが表示される。ここで「command」+「K」キーを押すと、アクション一覧が表示されるので、「Create Reminder」を実行しよう。

3 新規リマインダーを登録する

リマインダーの新規登録画面で必要な項目を設定していこう。入力が終わったら「command」+「return」キーでリマインダーアプリに登録される。

Raycastで呼び出せるアプリやコマンドを把握しておこう

「Extensions」の設定画面をチェックしておこう

Raycastで呼び出せるアプリやコマンドなどの個々の機能は、それぞれ「拡張機能（エクステンション）」として登録されているものだ。拡張機能に何があるかは設定画面でまとめられている。ここでざっと全体像をチェックしておこう。

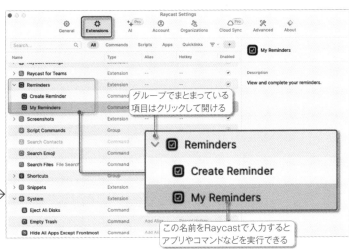

設定画面を開き、画面上部の「Extensions」をクリック。現在導入されている拡張機能が一覧される。この画面を見れば、Raycastから呼び出せるほぼすべてのアプリやコマンドなどが一目瞭然なのでチェックしておこう。

クリップボード履歴機能を使う

1 「Clipboard History」コマンドを入力して実行する

コマンドの最初の数文字を入力

検索結果からコマンドを選んで「return」キー

Raycastは、クリップボードの履歴を呼び出す機能も搭載されている。Raycastを起動して「Clipboard History」コマンドを実行してみよう。

2 クリップボードの履歴から貼り付けたいものを選ぶ

履歴を選択して「return」キーでアクティブなアプリに貼り付ける。「command」＋「return」キーでクリップボードへの読み込み

すると、クリップボードにコピーした過去の履歴が表示される。カーソルキーで履歴を選んだら、「return」キーでアクティブなアプリに貼り付け、「command」＋「return」キーでクリップボードへの読み込みが可能だ。この履歴には、テキストやファイル、画像なども残すことができる。なお、初回起動時は「Grant Access」ボタンでアクセスを許可しておこう。

定型文（スニペット）機能を使う

1 「Create Snippet」コマンドで定型文を新規登録する

検索結果からコマンドを選んで「return」キー

メールや文章を書く場合に便利な定型文（スニペット）機能も搭載している。定型文を登録するには「Create Snippet」コマンドを実行してみよう。

2 定型文の名前と文章、キーワードを登録する

上の画面が表示されるので、定型文の名前と定型文の文章、キーワードを登録する。キーワードは定型文の呼び出し時に使うものだ。

3 「Search Snippet」コマンドで定型文を選んで貼り付ける

定型文を選択して、「return」キーでアクティブなアプリに貼り付ける。「command」＋「return」キーでクリップボードへの読み込み

「Search Snippet」コマンドで登録済みの定型文が表示される。カーソルキーで選ぶか設定したキーワードを入力して選ぶかして、「return」キーで貼り付けだ。

クイックリンク機能でGoogle検索する

1 「Search Google」コマンドで検索したいキーワードを入力

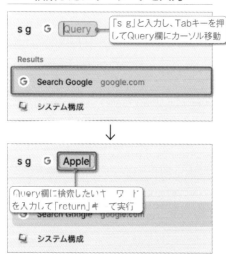

「s g」と入力し、Tabキーを押してQuery欄にカーソル移動

Query欄に検索したいキーワードを入力して「return」キーで実行

「Search Google」コマンドでは、指定したキーワードをGoogle検索する。コマンドが認識されると「Query」欄が表示されるので、検索キーワードを入力しよう。

2 ブラウザが開いてGoogle検索が実行される

Google検索が実行された

「return」キーを押すと、ブラウザが起動してGoogleで検索結果が表示される。なお、この機能は「クイックリンク（Quicklink）」という機能で実行されている。クイックリンクは、指定したURLをブラウザで開くという機能だ。URLにクエリ（Webページに渡す文字列）を含めることができるため、好きなサイトで素早く検索を行ったり、特定の処理を行ったりなどの動作を登録できる。自分でクイックリンクを作成したい場合は、「Create Quicklink」コマンドを実行して設定しておこう。

POINT

Raycast起動直後の入力ソースを英数入力に固定する

Raycastに搭載されているコマンドは、ほとんどが英単語だ。そのため、日本語入力が有効な状態でRaycastを起動すると、文字の入力ソースを英数入力に切り替えないといけない。それが面倒であれば、設定画面の「Advanced」→「Auto-switch Input Source」を「ABC」にしておこう。Raycast起動直後の入力ソースを英数入力に固定することが可能だ。

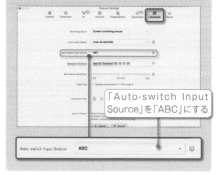

「Auto-switch Input Source」を「ABC」にする

コマンドにショートカットキーを割り当てる

よく使うコマンドを さらに素早く実行できる

Raycastの各コマンドには、好きなショートカットキーを割り当て可能だ。Raycastを起動した状態でこのショートカットキーを押せば、即座にコマンドを実行できる。よく使うコマンドに割り当てて、さらに素早い操作を実現しよう。

1 設定画面でコマンドに ショートカットキーを登録

「Record Hotkey」をクリックして設定したいショートカットキーを押す

設定画面を表示して「Extensions」画面を表示。コマンドの「Record Hotkey」をクリックし、ショートカットキーを記録しよう。ここでは「Window Management」の「Left Half」コマンドを「command」+「option」+カーソルキー左に設定した例だ。

2 Raycastを起動して ショートカットでコマンド実行できる

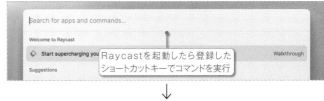

Raycastを起動したら登録したショートカットキーでコマンドを実行

↓

「Left Half」コマンドが実行される

Raycastを起動したら登録したショートカットキーを押してみよう。即座にそのコマンドが実行される。手順1で設定した「Left Half」コマンドは、アクティブウインドウを画面左半分に表示するというもの。これも登録したショートカットキーですぐに実行できる。

拡張機能(エクステンション)を追加する

よく使うコマンドを さらに素早く実行できる

Raycastは拡張機能を追加することで、新しいコマンドが使えるようになる。設定画面の「Extensions」を表示したら、「+」ボタン→「Install From Store」でストアページを表示しよう。ChatGPTやSpotifyなど、人気のサービスと連携できる拡張機能が公開されている。

1 「Extensions」の設定画面で ストアページを表示

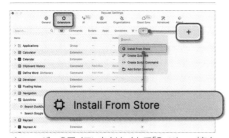

メニューバーのアイコンをクリックして「Settings」をクリック。設定画面を開いたら「Extensions」画面を開こう。上の画面で示している「+」ボタンをクリックし、表示されるメニューから「Install From Store」を実行しよう。

2 ストアページから 気になる拡張機能を探す

拡張機能を選択して「return」キーを押す

すると拡張機能のストア画面が表示される。ここからインストールしたい拡張機能を選択して「return」キーを押すと拡張機能の詳細画面が表示される。

3 拡張機能の詳細画面から インストールを行う

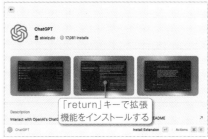

「return」キーで拡張機能をインストールする

拡張機能の詳細画面を確認したら、「return」キーでインストールできる。設定画面の「Extensions」画面で追加されたコマンドをチェックしておこう。

◯ POINT

拡張機能によっては 初期設定が必要になる

拡張機能によっては、初回のコマンド実行時に初期設定が必要だ。たとえば「ChatGPT」の拡張機能だと、APIキー(OpenAIのサイトで事前に取得が必要。No004で解説)の設定が必要になる。また、設定画面の「Extensions」で「ChatGPT」の項目をクリックすると、さらに細かい設定が行えるのでチェックしておくといい。

APIキーを入力

「ChatGPT」の拡張機能をインストールすると、「Ask Question」コマンドで実行できる。初回起動時はAPIキーの設定が必要だ。

「Full Text Input」画面で質問するのがおすすめ

ChatGPTの拡張機能は日本語入力時に不具合がある(日本語変換時に送信されてしまう)ので、「return」キーで「Full Text Input」画面にして質問を入力しよう。

007
ハイレゾ音源

Apple Musicのハイレゾロスレス音源を再生しよう
最新のMacBookなら
ハイレゾを簡単に楽しめる

音楽を可能な限り
高音質で再生してみよう

最新の一部MacBookであれば、最大96kHzのデジタルオーディオをアナログオーディオに変換できる高品質のハードウェアDAC（デジタル／アナログコンバータ）を標準で搭載している（本ページ下参照）。ヘッドフォンやスピーカーをMacBookのヘッドフォン端子に直接接続すれば、外付けのDACがなくてもハイレゾ音源を再生可能だ。ここでは、Apple Musicのハイレゾ音源を再生するための設定方法を紹介しておこう。

「ミュージック」アプリと「Audio MIDI設定」などで設定を行う

1 ミュージックアプリを起動して設定画面を表示する

まずはミュージックアプリを設定しよう。ミュージックアプリを起動したらアプリケーションメニューから「ミュージック」→「設定」をクリックする。

2 ロスレスオーディオの設定を行う

設定画面で「再生」画面を開き、「ロスレスオーディオ」にチェックを入れる。「ストリーミング」と「ダウンロード」の項目を「ハイレゾロスレス（最大24ビット／192kHzのALAC）」にしておこう。設定変更時に下の画面が出たら「ハイレゾロスレスで続ける」をクリック。すべて設定できたら「OK」で設定画面を閉じよう。

3 Launchpadから Audio MIDI設定を起動する

次はヘッドフォン出力のサンプリングレートを変更する。Launchpadを起動して、「その他」フォルダにある「Audio MIDI設定」を起動しよう。

4 外部ヘッドフォンの出力フォーマットを設定する

オーディオ設定画面が表示されたら、サイドバーから「外部ヘッドフォン」を選択。画面上部の「出力」をクリックし、フォーマットを「96,000Hz」にしておこう。

5 サウンドの出力デバイスを外部ヘッドフォンにする

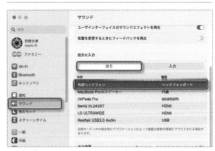

最後に「システム設定」を開き、「サウンド」画面を表示。「出力と入力」にある「出力」をクリックしたら、「外部ヘッドフォン」を選択状態にしておこう。

POINT　96kHz再生に対応したハードウェアDACを搭載したMac

高品質のハードウェアDACが搭載されているMacは、右でまとめた通りだ。最新のMacBookシリーズおよびMac mini、Mac Studioであれば対応している。これ以外のモデルの場合は、外付けのDACを用意すればハイレゾ再生が可能だ（次ページ参照）。

- MacBook Air（2022年に発売されたモデル）
- MacBook Pro（2021年以降に発売されたモデル）
- Mac mini（2023年に発売されたモデル）
- Mac Studio（2022年に発売されたモデル）

ワイヤレス再生デバイスは未対応

AirPodsシリーズなどのワイヤレスイヤホンやヘッドフォンは、残念ながらハイレゾロスレス音源の再生に対応していない。ワイヤレス通信の際に音のデータを圧縮しているため、ロスレスオーディオを再生できないからだ。

Apple Musicでハイレゾロスレス音源を再生する

1 ヘッドフォン端子にヘッドフォンやスピーカーを接続する

ハイレゾロスレス音源を楽しむ場合は、MacBookに搭載されているヘッドフォン端子に、アナログのヘッドフォンやスピーカーを接続しておこう。

2 ミュージックアプリでハイレゾロスレス音源を再生する

ミュージックアプリでApple Music内の曲を再生する。ハイレゾロスレスに対応している曲かつ、現在ハイレゾロスレス再生が行われていれば対応マークが表示される。

ハイレゾ音源をもっと楽しむためのアクセサリ

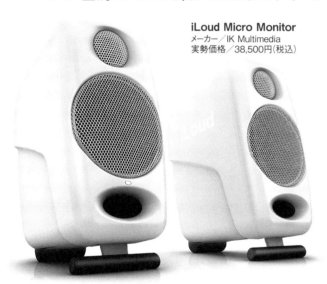

iLoud Micro Monitor
メーカー／IK Multimedia
実勢価格／38,500円（税込）

省スペースながら高解像度サウンドを実現

机の上に置けるコンパクトサイズのモニタースピーカー。DSPテクノロジーにより、正確な位相や定位、リニアな周波数特性を実現。透明感のあるクリアな音質で、リスニングや音楽制作まで幅広く使える。Bluetooth接続にも対応（Bluetooth接続時はハイレゾロスレスの再生はできない）。

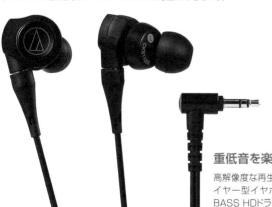

重低音を楽しめるハイレゾ対応イヤホン

高解像度な再生でハイレゾ音源を鮮明に再現してくれるインイヤー型イヤホン。過渡特性に優れたφ11mm SOLID BASS HDドライバーを搭載し、曇りのない重低音が楽しめる。

ATH-CKS1100X
メーカー／audio-technica　実勢価格／16,191円（税込）

プロに評価されているモニター用ヘッドフォン

オーディオエンジニアやミュージシャンに評価されている開放型のモニターヘッドフォン。音質の癖や色付けがほとんどなく、低域から高域までのバランスがよい。派手さを求めず、原音忠実な再生を望む人におすすめ。

HD600 開放型ヘッドホン
メーカー／SENNHEISER
実勢価格／55,800円（税込）

ZEN DAC
メーカー／iFi Audio
実勢価格／29,700円（税込）

外付けハードウエアDAC入門機の大定番

PCM、DXD、DSD256、MQAの再生に対応したUSB-DACヘッドフォンアンプ。MacBookの内蔵DACは最大24ビット／96kHzまでの対応だが、本機種では最大32ビット／384kHzまで対応。USB接続することで、ハイレゾロスレス音源を高音質で再生できる。

008

iCloud

WebブラウザでiCloudを管理しよう

デザインが一新された iCloud.comを活用する

メールや連絡先を Webから利用できる

　iCloudで同期している標準アプリのデータは、SafariなどのWebブラウザでiCloud.com（https://www.icloud.com/）にアクセスして利用することも可能だ。メールや連絡先、カレンダー、写真などのアプリを開くと、MacBookのアプリとまったく同じ内容で表示され、新規メールを送信したり、連絡先の内容を編集できる。PagesやNumbers、Keynoteなどの書類をWebブラウザ上で編集することも可能だ。また連絡先やカレンダーの復元など、iCloud.com上でのみ行える操作もある。iCloud.comはデザインが刷新され、ホームページをカスタマイズ可能になるなど操作性が大きく変わったので、基本的な使い方を覚えておこう。

ホームページをカスタマイズしておこう

好きなタイルを追加 したり並べ替えできる

SafariでiCloud.comにサインインすると、メールや写真などアプリの内容がタイル状で表示される。下の方にスクロールして「ホームページをカスタマイズ」をクリックすると、アプリのタイルを自由に追加、削除したり並べ替えできる。

この画面に表示するアプリなどのタイルを追加する

ホーム画面のカスタマイズを終了する

ホームページをカスタマイズ

「ー」をクリックするとこのタイルを削除する。タイルはドラッグ&ドロップで並べ替えも可能だ

iCloud.comでのアプリの利用とデータの復元

1 Appランチャー ボタンをクリック

クリックしてメニューを開く

「+」ボタンではメールやメモ、Pagesの書類などを新規作成できる

画面右上のAppランチャーボタン（ドットが並んだボタン）をクリックするとメニューが開き、iCloudで同期しているアプリを起動できる。

2 メールや連絡先を クラウド上で利用する

「iCloud」をクリックするとiCloud.comのホームページに戻る

メールや連絡先、カレンダー、写真などの標準アプリをクリックすると、クラウド上でそれぞれのデータを編集したり新規作成を行える。

3 PagesやNumbersを クラウド上で利用する

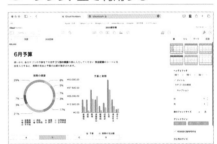

PagesやNumbers、Keynoteの場合も、それぞれクリックして起動すると、クラウド上でドキュメントの編集や新規作成を行える。

4 誤って削除した データを復元する

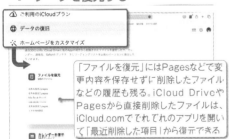

「ファイルを復元」にはPagesなどで変更内容を保存せずに削除したファイルなどの履歴も残る。iCloud DriveやPagesから直接削除したファイルは、iCloud.comでそれぞれのアプリを開いて「最近削除した項目」から復元できる

誤って削除したファイルやSafariのブックマーク、連絡先、カレンダーは30日以内なら復元可能だ。Appランチャーから「データの復旧」をクリックしよう。

5 復元可能なデータを 選択して復元

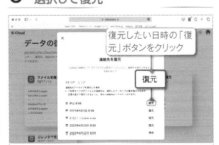

復元したい日時の「復元」ボタンをクリック

復元

たとえば連絡先を復元したいなら「連絡先を復元」タイルをクリックし、復元したい日時の「復元」ボタンをクリックすればよい。

POINT

デスクトップのファイルも Webから利用できる

iCloudの設定で「"デスクトップ"フォルダと"書類"フォルダ」をオンにすると、MacBookのデスクトップや書類フォルダにあるファイルは、iCloud Driveの「デスクトップ」や「書類」フォルダに保存され同期するようになる（No041で解説）。WindowsやAndroidスマートフォンからもWebブラウザ経由でMacBookのデスクトップにあるファイルを利用できるほか、誤って削除したファイルなどもiCloud Driveの「最近削除した項目」から簡単に復元できるので、いざという時に助かる。

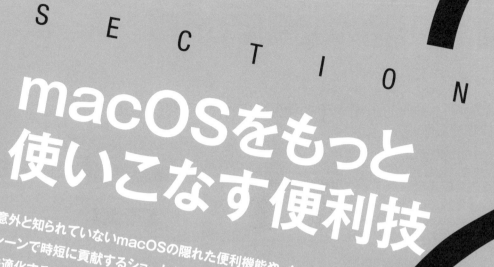

S E C T I O N

macOSをもっと
使いこなす便利技

意外と知られていないmacOSの隠れた便利機能や、あらゆる
シーンで時短に貢献するショートカットキー、環境を自分仕様に
快適化するシステム設定のチェックポイント、Finderの便利技など、
日々の操作の効率化に直結するテクニックが満載。

009

Mission Control

macOS標準の仮想デスクトップ機能を使って作業を効率化
複数のデスクトップを切り替えて利用する

Mission Controlで仮想デスクトップを使おう

多数のウインドウやアプリを同時に使いたい場合、1つの画面ですべてを表示しようとしても画面の表示領域に限りがあるため、操作効率が落ちてしまいがちだ。そこで使いこなしておきたいのが、macOSに標準搭載されている仮想デスクトップ機能「Mission Control」。本機能では、複数のデスクトップ（操作スペース）を追加し、それぞれに好きなウインドウを分散表示させることが可能だ。たとえば、デスクトップ1には仕事用のアプリを表示しておき、デスクトップ2にはミュージックアプリを表示してBGMを再生、デスクトップ3にはメールアプリを起動しておく、といった使い方ができる。デスクトップの切り替えは、以下のショートカットで瞬時に可能。多数のアプリを同時に起動しながら作業するような人は、Mission Controlで操作効率が大幅にアップするのでぜひ使いこなしてみよう。

操作スペース切り替えの操作方法

トラックパッドを使い、3本指または4本指で左右にスワイプする

キーボードを使い、「control」＋カーソルキーの左または右を押す

※キーボードショートカットが動作しない場合は、「システム設定」→「キーボードショートカット」→「Mission Control」でMission Control項目にある「左の操作スペースに移動」と「右の操作スペースに移動」のチェックを入れておこう

そもそも仮想デスクトップ機能とは？

デスクトップ1   デスクトップ2   デスクトップ3

 ⟷

Mission Controlでは、複数のデスクトップ（操作スペース）を作成して切り替えて使うことができる。操作スペースの切り替えは「control」＋カーソルキー左右を押すか、トラックパッドを3本指で左右スワイプすれば行える。

Mission Controlで操作スペースを追加する

Mission Controlを起動すると、画面上部にSpaces Barが表示される。ここで、各操作スペースの追加や削除などの管理が可能だ

3本指による上スワイプや「control」＋カーソルキー上でMission Controlの画面を表示。新しい操作スペースを追加する場合は、画面上部（Spaces Bar）の右端にある「＋」ボタンをクリックしよう。

「＋」をクリックする

新しい操作スペースが作成される。この画面をクリックすれば操作スペースの切り替えが可能だ

Spaces Barの「＋」をクリックすると操作スペースが新規作成され、Spaces Barにサムネイル画面が追加される。これをクリックすることで操作スペースの切り替えが可能だ。不要な操作スペースを削除したい場合は、ポインタを合わせて「×」ボタン押せばいい。なお、フルスクリーン状態のアプリも個別の操作スペースとして表示される。

Mission Controlで操作スペースやウインドウを管理する

1 ウインドウはほかのデスクトップにドラッグ＆ドロップで移動できる

新しいデスクトップにウインドウをドラッグ＆ドロップ

Mission Control画面でウインドウをドラッグし、Spaces Bar上の操作スペースにドロップすると、そのデスクトップにウインドウを移動することが可能だ。

2 アプリウインドウをフルスクリーン表示の画面として追加する

フルスクリーンに対応したアプリウインドウをドラッグ＆ドロップ

アプリウインドウをSpaces Barの空いたスペースにドラッグ＆ドロップすると、そのアプリのフルスクリーン表示画面を作ることができる。

3 フルスクリーン表示の画面にウインドウを重ねてSplit Viewにする

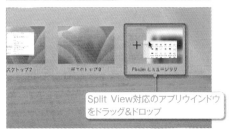

Split View対応のアプリウインドウをドラッグ＆ドロップ

Split View（No041の記事I参照）に対応しているアプリのウインドウをフルスクリーン表示中の操作スペースにドラッグすると、その画面をSplit Viewに変更できる。

010

ファイル名変換

macOSの標準機能だけでファイル名の変換が可能

複数ファイルのファイル名を一括で変換する

ファイル名の検索置換や連番リネームなどができる

大量の写真や書類、動画素材などのファイルが溜まってしまい、ファイル名もごちゃごちゃで整理されていない場合は、ファイル名をわかりやすくリネームして整理しておくといい。複数のファイルを一括リネームしたい場合は、Finderの標準機能が便利。複数ファイルを選択して右クリック→「名称変更」を実行すると、リネーム用のダイアログが表示される。ここからリネームの処理方法を選び、必要な設定を行って「名前を変更」をクリックすればOKだ。ファイル名を指定テキストで検索置換したり、任意のテキストをファイル名の前や後に追加したり、連番ファイル名や日時付きファイル名にしたりなど、いろいろなリネーム処理に対応している。意外と知られていないが作業の時短に欠かせない機能なので、ぜひ利用してみよう。

Finderの「名称変更」機能を使ってみよう

1 複数のファイルを選択して右クリックする

リネームしたいファイルを選択

名称変更...

まずは、Finderウインドウでリネームしたいファイルを1つのフォルダに集め、リネームしたいファイルを複数選択しておく。次に、選択したファイルを右クリックして「名称変更」を選択しよう。

2 処理方法を選んでファイル名をリネームしてみよう

実行したい処理方法を選ぶ

「Finder項目の名前を変更」ウインドウが開くので、右上のポップアップメニューから実行したい処理方法（右表参照）を選ぼう。必要な設定を済ませたら「名前を変更」をクリック。

3 ファイル名がリネームされたか確認しよう

ファイル名がリネームされた

これで選択しているファイル名がすべてリネームされた。なお、リネーム処理を間違えた場合は、「command」+「Z」キーですぐに取り消しが可能だ。

名称変更で選択できる処理方法

処理方法	概要
テキストを置き換える	指定したテキストをファイル名から検索して別のテキストに置換するモード。削除したいテキストを「検索文字列」欄に入力し、追加するテキストを「置換文字列」に入力する
テキスト追加	ファイル名の前または後に、任意のテキスト追加できるモード。テキストを入力欄に入れたら、追加する場所を「名前の前」か「名前の後」かで選択する
フォーマット	指定したフォーマットで連番や日付をファイル名に追加するモード。「名前のフォーマット」欄で以下の3つから実行したいフォーマットを選べる。番号を追加する場所は「名前の前」か「名前の後」かで選択が可能 ▶名前とインデックス 好きなテキストと番号でリネーム 例:ファイル1、ファイル2、ファイル3… ▶名前とカウンタ 好きなテキストと番号（5桁）でリネーム 例:ファイル00001、ファイル00002… ▶名前と日付 好きなテキストと現在の日時でリネーム 例:ファイル2023-04-27 6.15.14 午後 　　ファイル2023-04-27 6.15.14 午後2 　　ファイル2023-04-27 6.15.14 午後3…

011

ウインドウ操作

意外と知られていない機能を一挙に紹介

あらゆる作業を効率化する
ウインドウの操作法

1　画面を2分割して2つの作業を行う

2つのウインドウを
画面分割して表示してみよう

　macOSでは、「Split View」という機能で、2つのウインドウを画面中央で分割して同時に表示させることが可能だ(これを「タイル表示」と呼ぶ)。ウインドウの左上にある緑色のフルスクリーンボタンにマウスポインタを合わせ、表示されたメニューからタイル表示の項目を選んでみよう。そのウインドウがタイル表示になり、もう片方のウインドウを選べば分割表示になる。2つのアプリやフォルダを同時に操作したいときに使ってみよう。

1　ウインドウのフルスクリーンボタンからタイル表示を選ぶ

分割表示したいウインドウを表示しておき、フルスクリーンボタン(緑色)にマウスポインタを合わせる。メニューから「ウインドウを〜にタイル表示」を実行しよう。

2　逆側のエリアでもう1つのウインドウを選ぶ

逆側のエリアでタイル表示にしたいウインドウを選ぶ

すると、そのウインドウが画面の左右どちらかでタイル表示に切り替わる。さらに、もう片方のエリアでタイル表示するウインドウを選んでクリックしよう。

3　2つのウインドウがSplit Viewでタイル表示された

境界線をドラッグして比率を変えられる

これで2つのウインドウが画面中央で分割表示される。中央にある境界線をドラッグすれば、画面の比率を変えることが可能だ。Split Viewを解除したい場合は、どちらかのウインドウのフルスクリーンボタンを押せばいい。

4　複数のSplit View画面をMission Controlで切り替える

Mission Controlの操作スペースとして切り替えが可能

Split Viewによる分割表示画面は、Mission Controlの1つの操作スペースとして作られる。Safariとメモ、メールとカレンダー、ダウンロードフォルダと書類フォルダなど、よく使う2つのアプリやフォルダの組み合わせがある場合は、作業ごとに複数のSplit Viewを作っておくといい。トラックパッドを4本指で左右スワイプするだけでこれらを即座に切り替え可能だ。また、トラックパッドを3本指で上にスワイプすれば、現在の操作スペース一覧も確認できる。

2　開いているウインドウを鳥瞰的に一覧する

Mission Controlで
隠れたウインドウも一覧表示

　多数のウインドウを同時に開きながら作業しているとき、目的のウインドウが隠れてしまってどこにあるかわからなくなりがちだ。そんなときはMission Controlの画面を呼び出そう。現在開いているすべてのウインドウが一覧表示される。あとは、最前面に表示したいウインドウをクリックすればいい。なお、Mission Controlの画面は、トラックパッドを3本指で上にスワイプすればすぐに表示できるので便利だ。

1　目的のウインドウがどこにあるのかわからないときは……

トラックパッドを3本指で上にスワイプ

複数のウインドウを表示していると、目的のウインドウが隠れてどこにあるのかわからなくなるときがある。そんなときはトラックパッドを3本指で上にスワイプしよう。

2　Mission Controlでウインドウを一覧できる

Mission Controlの画面が表示され、現在開いているすべてのウインドウがサムネイル画像で一覧表示される。ここから使いたいウインドウをクリックしよう。

3 使用中のアプリのウインドウだけを一覧表示

同じアプリのウインドウを並べて切り替えできる

「ホットコーナー（No012で詳しく解説）」で「アプリケーションウインドウ」を割り当てておくと、現在アクティブになっている（最前面に表示されている）アプリのウインドウをサムネイル画像で一覧表示できる。複数の操作スペースに分散している複数のFinderのウインドウなども、これですぐに把握できる。なお、「control」＋「↓」キーのショートカットでも同じ機能を実行可能だ（本ページ下参照）。

1 「アプリケーションウインドウ」をホットコーナーで割り当てる

Appleメニュー→「システム設定」→「デスクトップとDock」の画面を表示し、右下にある「ホットコーナー」をクリック。「アプリケーションウインドウ」を割り当てよう。

2 同じアプリのウインドウが一覧表示される

「アプリケーションウインドウ」を割り当てたホットコーナーにマウスポインタを移動してみよう。現在アクティブになっているアプリのウインドウが一覧表示される。

4 同じアプリ内でウインドウを次々に切り替える

ショートカットキーでウインドウを切り替えよう

同じアプリで複数のウインドウを同時に開いている場合、「command」＋「@」キーを押すたびに、最前面に表示するウインドウを次々切り替えることが可能だ。この操作は、アプリだけでなくFinderのフォルダウインドウにも対応している。Finderで複数のフォルダをウインドウで開いているときに、このショートカットキーを使えば、目的のフォルダウインドウを素早く探し出せるようになるので便利だ。複数のファイルを素早く見比べる際にも利用したい。

「command」＋「@」キーで同じアプリのウインドウを切り替えられる

ウインドウを切り替える

同じアプリのウインドウを複数開いている場合、上のショートカットキーを押すと、最前面に表示するウインドウを切り替えられる。このとき、目的のアプリをアクティブにしてからショートカットキーを押すこと。

5 ウインドウ操作を高速化するショートカットキー

ショートカットキーで操作を効率化しよう

ここではウインドウ操作に関係するショートカットをいくつか紹介しておこう。以下を使いこなせば、標準アプリやFinderのウインドウをさらに効率よく操作できる。Mission Control（No009で解説）やアプリケーションウインドウのショートカットも覚えておくと便利だ。

新しいウインドウを開く

最前面にあるアプリで新しいウインドウを開く。Finderの場合は、「最近の項目」を新規ウインドウで開く。

最前面のウインドウを閉じる

最前面にあるウインドウを閉じる。タブ表示中のアプリの場合は、最前面のタブを閉じる。

アプリのウインドウをすべて閉じる

最前面にあるアプリのウインドウをすべて閉じる。タブ表示中のアプリの場合は、すべてのタブを閉じる。

最前面のアプリを非表示にする

最前面にあるアプリのウインドウをすべて非表示にする。非表示にしたウインドウは、そのアプリをアクティブにすれば再び表示される。

最前面のアプリ以外を非表示にする

最前面に表示されているアプリのウインドウ以外をすべて非表示にする。ほかのウインドウを一時的に隠したい場合に使おう。

指定したアプリだけを表示する

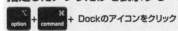

「option」＋「command」キーを押しながら、Dockのアプリをクリックすると、そのアプリのウインドウだけを表示し、ほかのウインドウを非表示にできる。

Mission Control画面を表示

Mission Control画面を開く。再度押せば元の画面に戻る。

操作スペースを切り替える

Mission Control画面で複数の操作スペースを追加している場合、操作スペースを切り替える。

アプリケーションウインドウ

最前面にあるアプリのすべてのウインドウをサムネイル画像で一覧表示できる。

012

ホットコーナー

ホットコーナーで便利な機能を呼び出そう
ポインタを画面角に移動してアクションを実行する

よく使う画面や機能をクリックなしで呼び出せる

macOSには、「ホットコーナー」という機能が用意されている。これは、画面の四隅にポインタを移動させることで、よく使う画面や機能をすぐに呼び出せるものだ。ホットコーナーに割り当てられるのは、「Mission Control」や「アプリケーションウインドウ」、「デスクトップ」、「通知センター」など（以下表参照）。初期状態では右下に「クイックメモ」が割り当てられているが、使わないのであれば無効化しておいてもいい。ホットコーナーの割り当ては、「システム設定」から行う。なお、ホットコーナーの機能を割り当てるときに、「command」、「shift」、「option」、「control」の各キーを押しながら選ぶと、そのキーを押しながら四隅にポインタを動かしたときだけ起動するようにできる。

ホットコーナーに割り当て可能な機能

機能
Mission Control
アプリケーションウインドウ
デスクトップ
通知センター
Launchpad
クイックメモ
スクリーンセーバーを開始
スクリーンセーバーを無効にする
ロック画面

4つのホットコーナーには、上のような機能を割り当て可能だ。よく使う機能を割り当てておこう。

ホットコーナーの設定と呼び出し方法

1 システム設定からホットコーナーを設定する

まずはホットコーナーを設定してみよう。「システム設定」を開いたら、「デスクトップとDock」を開き、一番下にある「ホットコーナー」ボタンをクリックする。

2 4つの角で呼び出したい機能を割り当てる

4つの角に割り当てる機能をメニューから選んでおこう。「command」、「shift」、「option」、「control」の各種キーを押しながら選ぶことも可能だ。

3 ディスプレイの角にポインタを移動してみよう

デスクトップの四隅にポインタを移動してみよう。ホットコーナーに割り当てた画面や機能が起動する。デスクトップやLaunchpadなど、よく使う機能をホットコーナーに割り当てておくと便利だ。

画面のコーナーにマウスポインタを移動する

割り当てた機能（ここではLaunchpad）が呼び出される

 POINT

ディスプレイの配置によってはホットコーナーが無効化される

MacBookに複数のディスプレイを接続している場合、ディスプレイ同士がつながっている角の部分はホットコーナーが無効化されるので注意しよう。ホットコーナーが使えるのは、ディスプレイの角がほかのディスプレイにつながっていない場所のみだ。これは、Sidecarやユニバーサルコントロールを使用している場合も同じ。各ディスプレイのつながり具合は、「システム設定」の「ディスプレイ」→「配置」ボタンから確認しておこう。

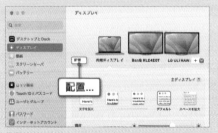

複数のディスプレイを接続している場合は、「システム環境設定」→「ディスプレイ」→「配置」をクリックして、ディスプレイの配置状況を確認しておこう。

ディスプレイの配置画面で、各ディスプレイの角がつながっている場所（上の画像の〇で囲んだ部分）だと、ホットコーナーは呼び出せない。

013
Dock設定

Dockのサイズや表示位置などを調整しよう
Dockの表示や挙動を
使いやすく設定する

自分好みの表示に
カスタマイズしておこう

デスクトップの画面最下部に表示されている「Dock」は、よく使うアプリや最近使ったアプリなどをアイコンで表示しておける場所だ。このDockは、表示や挙動などを自分好みにカスタマイズできる。よく使う設定は、Dockの空いている場所（縦線の入っているところ）を右クリックして表示されるメニューから変更可能だ。より細かい設定を行いたい場合は、「システム設定」→「デスクトップとDock」を開こう。ここでDock全体のサイズや表示位置、アイコンにポインタを合わせたときの拡大率をスライダーで調節することができる。また、Dockの表示位置を画面の左右端にしたり、ウインドウをしまうときのエフェクトを変更したり、Dockを自動的に非表示にしたりなどが設定可能だ。

システム設定からDockの設定を呼び出す

1 Dockのよく使う設定を 右クリックから呼び出す

Dockのよく使う設定は、縦線が入っている場所を右クリックして表示されるメニューから変更可能だ。「Dock設定」からはシステム設定のDock設定画面を開ける。

2 システム設定から Dockの詳細設定を行う

「システム設定」から「デスクトップとDock」を開くと、Dockの詳細設定が可能だ。よく使う設定については、以下で詳しく解説している。

Dockの設定を見直してみよう

Dockのサイズを 見やすい大きさに調整しておこう

Dockのサイズは、設定画面のスライダーで調整できる。「小」にすると見にくくなるので適度に大きくしておこう。「大」にすると画面の最大幅で表示されるようになる。

ポインタを合わせた ときにアイコンを拡大

「拡大」のスライダーを変更すると、Dockのアイコンにポインタを合わせたときに拡大するようになる。少しだけ大きくなるようにしておくとわかりやすい。

Dockの画面上の 位置を設定する

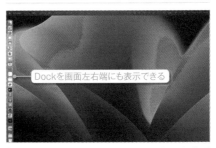

「画面上の位置」では、Dockを画面の下だけでなく、画面の左右端にも表示できるようになる。標準では「下」だが、好みに応じて「右」または「左」にしてもいい。

ウインドウをしまうときの エフェクトを設定する

ウインドウをDockにしまうときのエフェクトは、「ジーニーエフェクト」か「スケールエフェクト」かを選べる。素早く切り替えたいなら「スケールエフェクト」がおすすめ。

Dockを自動的に 非表示にする

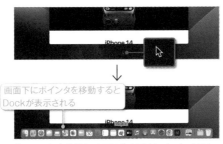

「Dockを自動的に表示/非表示」をオンにすると、Dockが非表示になり、画面を広く使える。Dockはポインタを画面下に移動すれば自動で表示される。

最近使ったアプリケーションを Dockに表示

「最近使ったアプリケーションをDockに表示」はオンにしておくのがおすすめ。Dockの右側に最近使ったアプリのアイコンがしまわれるようになる。

014
ショートカット

MacBookユーザーならこれだけは覚えておきたい
普段の操作を高速化する
必須ショートカット

**基本操作はすべて
ショートカットでできる**

ここではMacBookを効率的に操作するためのキーボードショートカットを紹介しておこう。以下の基本ショートカットを覚えておけば、Finderやアプリの操作効率が劇的にアップするはずだ。なお、ウインドウ操作関連のショートカットはNo011の記事5で解説で紹介している。

基本的なキーボードショートカット

Finder App
保存する

現在編集中の書類やデータを上書き保存する。はじめて保存する場合は、保存ダイアログが表示される。

Finder App
取り消す

直前の操作を取り消す。「shift」+「command」+「Z」キーで取り消した操作をやり直すことも可能だ。

Finder App
コピー

選択している項目やデータをクリップボードにコピーする。Finder内のファイルに対しても使える。

Finder App
ペースト（貼り付け）

クリップボードの内容を現在操作しているアプリや書類に貼り付ける。Finder内のファイルに対しても使える。

Finder App
カット（切り取り）

選択している項目やデータを切り取って、クリップボードにコピーする。Finder内のファイルに対しても使える。

Finder App
終了する

現在起動しているアプリを終了する。「shift」+「command」+「Q」キーでログアウトの操作もできる。

Finder App
すべてを選択

すべての項目を選択する。開いているウインドウ内の全項目や書類の全内容を選択したいときに使う。

Finder App
新規作成する

Finderだと新規Finderウインドウを開く。一般的なアプリだと、書類や項目を新規作成する操作となる。

Finder
新規フォルダを作成

Finderで現在操作している場所に新規フォルダを作成する。

Finder
情報を見る

選択したファイルやフォルダの「情報を見る」画面を表示する。

Finder
クイックルック

現在選択中の項目の内容をクイックルックでプレビューする。

Finder
項目をゴミ箱に移動する

選択中の項目をゴミ箱に移動する。「command」+「Z」で取り消しが可能。

Finder App
開く

Finderの場合、選択した項目を最適なアプリで開く。アプリの場合、開くダイアログを起動してファイルを開く。

Finder
新規タブを開く

Finderウインドウで新規タブを開く。Finderウインドウが開いていない場合は、新規ウインドウが開かれる。

Finder App
検索する

Finderや各種アプリの検索機能を呼び出す。Safari操作時は表示しているページ内のテキスト検索が可能だ。

Finder App
印刷する

Finderで選択したファイル、またはアプリで開いているファイルを印刷する。

Finder
コンテキストメニュー
 + クリック

クリックした場所に応じたコンテキストメニューを表示する（右クリックと同じ）。

Finder
複数の項目を選択
 + クリック

ファイルやフォルダを「command」+クリックすることで複数同時に選択できる。

POINT
ショートカットの記号を覚えよう

メニューの右端にはショートカットが表示されることがある。一部キーは以下のような記号で表示されるので覚えておこう。

よく使われるキーの記号

⌘ commandキー	⇧ shiftキー	⇥ tabキー
⌥ optionキー	∧ controlキー	⌫ deleteキー

Finder
複数の項目を連続選択
 + クリック

リストやカラム表示で、ひとつ前の選択項目からの複数項目を一括選択する。

Finder
項目を複製する
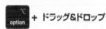 + ドラッグ&ドロップ

「option」を押しながらファイルやフォルダをドラッグ&ドロップすると複製できる。

015
ショートカット

これらのショートカットであらゆる操作を時短化しよう
上級者が使っている
超効率化ショートカット

**覚えておくと役立つ
ショートカット20選**

基本的なキーボードショートカットについてはNo014の記事で解説したが、ここではそのほかの便利なショートカットをいくつか紹介しておこう。いちいちメニューやボタンを操作する必要がなくなるので、Finderやアプリをもっと効率よく操作できるようになる。

意外とよく使うキーボードショートカット

Finder
デスクトップを表示
shift + command + D

Finderウインドウで「デスクトップ」を表示する。

Finder
コンピュータを表示

shift + command + C

Finderウインドウで「コンピュータ」を表示する。

Finder
強制終了する
option + command + esc

「アプリケーションの強制終了」画面を表示する。

App
次を検索する
command + G

直前に検索した項目が次に出てくる場所を探す。「shift」+「command」+「G」キーで、前の場所に戻ることができる。

Finder **App**
設定を開く

command + ,

最前面にあるアプリの設定画面を開く。Finderを操作しているときは、「Finder設定」を開く。

App
カーソル右側の文字を削除

fn + ⌫

文字入力中にカーソルの右側にある文字を削除する。アプリによっては「control」+「D」キーでも同じ操作が可能。

Finder
アプリウインドウを非表示に

command + H

最前面のアプリウインドウを非表示にする。再表示するには、Dockからアプリのアイコンをクリックすればいい。

Finder
アプリを切り替える
command + →

現在開いているアプリの一覧を表示し、アプリを切り替えることができる。

Finder
ゴミ箱を空にする

shift + command + delete

上記のキーを押して「ゴミ箱を空にする」を選択すれば、ゴミ箱を空にできる。

Finder
iCloud Driveを開く

shift + command + I

Finderウインドウで「iCloud Drive」を開く。

Finder
ダウンロードフォルダを開く
option + command + L

Finderウインドウで「ダウンロード」フォルダを開く。

Finder
AirDropを開く

shift + command + R

Finderウインドウで「AirDrop」を開く。

Finder
アプリケーションを開く

shift + command + A

Finderウインドウで「アプリケーション」フォルダを開く。

Finder
ユーティリティを開く

shift + command + U

Finderウインドウで「ユーティリティ」フォルダを開く。

Finder
上のフォルダに移動

command + ↑

Finderウインドウで表示している現在のフォルダからひとつ上のフォルダを開く。

Finder
エイリアスを作成

option + command + ドラッグ&ドロップ

ファイルやフォルダのエイリアス(ショートカット)を作成する。

Finder
表示形式を変更する
command + 1 〜 4

Finderウインドウの表示形式を、アイコン／リスト／カラム／ギャラリー表示に切り替える。

Finder
Dockに追加する

shift + control + command + T

Finderで選択したファイルやフォルダなどの項目をDockに追加する。

Finder
内包するフォルダを表示
command + クリック

フォルダのタイトル部分を「command」+クリックすると、内包するフォルダを表示できる。右クリックでもOKだ。

Finder **App**
メニューを拡張する
option

「option」キーを押しながらメニューを表示すると、通常表示されていなかったメニュー項目が表示される。

016

ファンクション
キー

キーボード上部にあるファンクションキーを使いこなす

ファンクションキーを
自分仕様にカスタマイズする

物理ファンクションキーを常に標準のファンクションキーにする

標準のファンクションキーを
多用するアプリで便利

　MacBookの物理ファンクションキー（F1や
F2などのキー）は、初期状態だと画面の明るさ
調整や音量調整、音声入力などの特殊機能が割
り当てられている。さらに「fn」キーを押しなが
らF1、F2などを押せば、標準のファンクション
キーとしても使用可能だ。しかし、Excelや
Wordをはじめとする一部アプリでは、標準のフ
ァンクションキーが基本操作のショートカットキ
ーとして頻繁に使われることがある。この場合、
いちいち「fn」キーを押しながらF1やF2を押す
という操作はかなり非効率だ。そこでおすすめ
なのが、F1、F2などのキーを常に標準のファン
クションキーとして使えるようにしておく設定。
なお、この状態だと、各キーに割り当てられてい
る特殊機能は「fn」キーを押しながらF1、F2な
どを押すことで呼び出せるようになる。

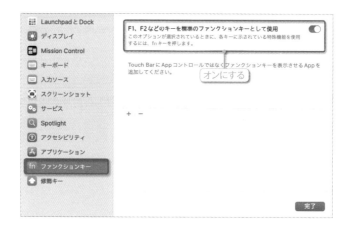

オンにする

システム設定で設定
を変更しよう

　「システム設定」→「キーボー
ド」→「キーボードショートカッ
ト」→「ファンクションキー」を
開いたら、「F1、F2などの
キーを標準のファンクション
キーとして使用」をオンにしよ
う。これでF1、F2などのキー
が常に標準のファンクション
キーとして機能するようにな
る。ExcelやWordなどをよく
使う人は、この設定の方が使
いやすい。

**Touch Barに
ファンクションキーを
常時表示する**

Touch Barに標準のファンクションキーを常時表示しておきたい場合は、
「システム設定」→「キーボード」→「Touch Bar設定」でTouch Barに表
示する項目を「F1、F2などのキー」にしておこう。

アプリごとの機能を標準のファンクションキーに割り当てる

ファンクションキーを
ショートカットキーとして使う

　アプリの特定の機能を標準のファンクション
キーに割り当てることも可能だ。よく使う機能や
ショートカットキーが割り当てられていない機能
を標準のファンクションキーで呼び出したいと
きに設定してみよう。外部キーボード接続時は、
F13～F19のファンクションキーがほぼ使われ
ないので、ここに機能を割り当てるといい。

メニュータイトルを調べておこう

各アプリのメニューから実行できる機能であれば、ほぼ
すべての項目を標準のファンクションキーに割り当てて
実行可能だ。割り当てたい機能はあらかじめメニューを
たどって項目のタイトルを調べておくこと。

1 システム設定でショートカットを追加する

「システム設定」→「キーボー
ド」→「キーボードショートカッ
ト」→「アプリケーション」を開
いたら、「＋」ボタンでショート
カットを追加しよう。

2 アプリとメニュータイトル、ショートカットを設定する

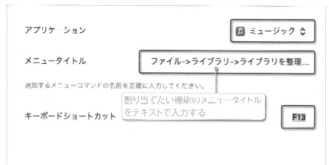

割り当てたい機能のメニュータイトル
をテキストで入力する

「アプリケーション」で割り当
てたいアプリを選択。「メ
ニュータイトル」で実行する
機能を入力しよう。「ファイル
>ライブラリ>ライブラリを
整理...」といったように階層は
「->」で表すこと。「キーボード
ショートカット」では、割り当て
たい標準のファンクション
キーを設定。通常のショート
カットキーを割り当てること
も可能だ。

017
ファイル復元

Time Machineなどで手軽に復元できる

誤って上書き保存したファイルを
以前のバージョンに戻す

いくつかの方法で
ファイルを復元できる

　ファイルを間違えて上書き保存したり、作業中のアプリが予期せず終了した場合は、まずアプリが「バージョンを戻す」機能を備えているか確認しよう。1時間ごとに自動保存された履歴から復元が可能だ。この機能を備えていないアプリのファイルでも、Time Machine（No051で解説）でバックアップさえ作成していれば以前のバージョンを簡単に復元できる。またiCloudに保存したファイルはiCloud.com（No008で解説）で復元できる。OneDriveやGoogleドライブ、Dropboxなどのクラウドサービスに保存しているファイルは、それぞれのサービスでバージョン管理から復元できる場合が多いので確認しよう。

バージョンを戻すやTime Machineで復元

1 バージョンを戻す機能を利用する

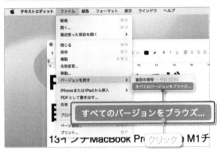

テキストエディットやPages、プレビューなど一部のアプリは、「ファイル」→「バージョンを戻す」→「すべてのバージョンをブラウズ」をクリック。

2 以前のバージョンに復元する

復元したいバージョンの日時を選択。ファイル内容の違いを左右で確認しながら確認できる

1時間ごとの自動保存や手動保存したタイミングの履歴が一覧表示されるので、復元したいバージョンを選択し「復元」をクリックしよう。

3 Time Machine用のドライブを接続

Time Machine用ドライブなどを常時接続していない場合は接続する。なお、一部のバックアップはMacBook内にも保存される（ローカルスナップショット）ため、Time Machine用ドライブを接続しなくても過去24時間分のファイルなどを復元できる場合がある

「バージョンを戻す」が使えないならTime Machineを利用しよう。まず、Time Machineバックアップが保存されている外付けドライブを接続する。

4 Time Machineバックアップをブラウズする

クリック。Time Machineのアイコンがない場合は「システム設定」→「コントロールセンター」で「Time Machine」の項目を「メニューバーに表示」にしておく

バージョンを戻したいファイルのあるフォルダを開き、メニューバーのTime Machineメニューから「Time Machineバックアップをブラウズ」を選択。

5 日時を選択してファイルを復元する

クリックして復元。復元先に同名ファイルがある場合は、「オリジナルを残す」で新しいファイルを残し復元しないか、「置き換える」で復元するファイルで上書きするか、「両方とも残す」で別名で復元するかを選択できる

復元したい日時を選択

復元したい日時のフォルダを表示させたら、復元したいファイルを選択して「復元」をクリックしよう。ファイルが復元される。

OneDriveに保存したWordやExcelなどのバージョンを戻す

1 タイトルをクリックしてバージョン履歴から復元

バージョン履歴の表示

バージョンを開く

「バージョンを開く」で以前のバージョンに戻す

WordやExcelファイルの保存先をOneDriveにしていれば、タイトルをクリックして「バージョン履歴の表示」で過去のバージョンに戻せる。

2 オフィス文書以外のファイルも戻せる

バージョン履歴

OneDriveに保存したオフィス文書以外のファイルも、SafariでOneDriveにアクセスし、ファイルの「…」→「バージョン履歴」から復元できる。

POINT

GoogleドライブやDropboxのバージョン管理機能

GoogleドライブやDropboxにもバージョン管理機能があり、ファイルを以前のバージョンに戻せる。Googleドライブはファイルの「…」→「版を管理」から復元するか、Googleドキュメントなどの書類は変更履歴から復元しよう。Dropboxはファイルの「…」→「アクティビティ」→「バージョン履歴」から復元する。

018

便利機能

MacBookがもっと便利になる機能を知ろう

macOSの隠れた
便利機能や操作法

1 ログイン時に指定したアプリを起動する

使用時に必ず使う
アプリを登録しよう

　MacBookを起動した際は、同時に指定したアプリを自動で起動させることができる。「システム設定」→「一般」→「ログイン項目」でアプリを追加しておけばよい。特に、必ず確認したいカレンダーやリマインダー、デスクトップに表示させるスティッキーズ、常に同期を実行したいクラウドサービスなどを追加しておくのがおすすめだ。ただし、アプリを追加しすぎると、MacBookの起動が遅くなるので注意しよう。

1 システム設定で
ログイン項目を開く

クリック

スタートアップアプリを管理するには、Appleメニューから「システム設定」→「一般」→「ログイン項目」をクリックしよう。

2 スタートアップ
アプリの登録と削除

「＋」で起動時に必ず使うアプリを追加。不要なアプリは選択して「−」で削除する

「ログイン時に開く」画面の下部にある「＋」から、ログイン時に自動で起動するアプリを追加できる。また、アプリを選択して「−」をクリックで削除できる。

2 スクリーンショットの多彩な機能を活用する

スクリーンショットの
ツールを利用しよう

　「shift」＋「command」＋「3」の同時押しでスクリーンショットを撮影できるが、「3」ではなく同時に「4」を押すことで範囲指定も行える。また、「4」を押した後スペースキーを押してウインドウを指定し、クリックやenterを押せば、そのウインドウのみを撮影可能（スペースキーと同時に「option」を押すことで影を消せる）。また、「5」を同時に押すことでスクリーンショットのツールが表示され、各種操作を実行できる。

1 スクリーンショットの
ツールを表示する

short cut

shift ＋ command ＋ 5

「shift」＋「command」＋「5」キーを同時に押すか、Launchpadの「その他」にある「スクリーンショット」を起動するとツールが表示される。

2 スクリーンショットの
保存先やタイマーを設定

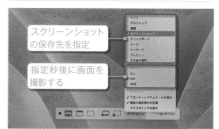

スクリーンショットの保存先を指定

指定秒後に画面を撮影する

ツールの「オプション」をクリックすると保存先やタイマーの秒数を設定できる。「○秒後に取り込む」をクリックするとタイマー撮影が可能だ。

3 MacBookの画面をムービーで収録する

画面の操作を動画
として保存しよう

　スクリーンショットでは、画面の操作や動きを動画として録画することも可能だ。「shift」＋「command」＋「5」キーを同時に押すか、Launchpadの「その他」にある「スクリーンショット」を起動して、表示されたツールで「画面全体を収録」か「選択部分を収録」を選択。あとは「収録」ボタンを押せば録画が開始され、ステータスメニューの停止ボタンを押すと終了してmovファイルを保存できる。

1 スクリーンショットの
ツールで収録ボタンを押す

左の「画面全体を収録」か右の「選択部分を収録」かを選択

クリックして録画開始

「shift」＋「command」＋「5」キーを押したら、ツールから「画面全体を収録」か「選択部分を収録」かを選び、「収録」で録画をスタートさせる。

2 メニューバーの停止
ボタンで録画を終了

クリックして録画を終了

メニューバーにある停止ボタンをクリックすると、録画を終了してmovファイルとして保存できる。保存先はツールの「オプション」から指定しておこう。

4 ファイルを誤って削除しないようロックをかける

削除や変更をしたくない
重要なファイルを保護

　誤って削除したり上書きしたくない重要なファイルは、ロックをかけて保護しておくことが可能だ。ロックしたいファイルを右クリックし、「情報を見る」の「一般情報」にある「ロック」にチェックしておけばよい。ファイルに編集を加えたり削除しようとすると確認画面が表示されるようになる。またフォルダをロックすることもでき、フォルダ内のファイルの変更や移動を禁止できる。

1 重要なファイルに
ロックをかける

内容を変更したり削除したくないファイルは、右クリックして「情報を見る」をクリックし、「一般情報」欄にある「ロック」にチェックしよう。

2 変更や削除しようと
する際に確認される

「ロックを解除」でロックを解除するか、「複製」で複製を作成すれば内容を編集できる（元のファイルは変更されない）

ロックしたファイルの内容を変更しようとすると、確認メッセージが表示されるようになる。また削除しようとした際も確認メッセージが表示される。

5 音量や画面の明るさ、バックライトをより細かく調整する

ショートカットで
1/4ずつ調整できる

　MacBookは、音量や画面の明るさ、キーボードのバックライトの明るさをそれぞれのキーで調整できる。また、Touch Barを搭載している場合は、Touch BarのControl Stripにあるそれぞれのボタンで調整可能だ。キーやボタンを押す際、「option」＋「shift」を同時に押すことで、音量や画面の明るさを通常の1/4刻みの目盛りで細かく微調整することができる。ほんの少しだけ音量や画面の明るさを調整したい時に利用しよう。なお、Siriに「音量を○%にして」や「画面の明るさ○%にして」と頼むことで、音量や画面の明るさを1%単位で調整することもできる（No026で解説）。特に音量は微妙に大きすぎたり小さすぎたり、通常の操作ではちょうどよいボリュームに設定しづらいので、この操作を利用したい。

1 音量などを細かく調整
するショートカットキー

音量を上げる
音量を下げる
画面を明るく
画面を暗く
バックライトを明るく
バックライトを暗く

「option」＋「shift」キーを押しながら、音量や画面の明るさ、キーボードのバックライト調節キーを押してみよう。

2 通常の1/4目盛りずつ
細かく調整できる

目盛りが1/4ずつ動く

通常は1目盛りずつ音量を上げたり下げたりできるが、「option」＋「shift」キーと同時に押すことで、1/4目盛りずつ細かく調整できる。

POINT

Fnキーや
Touch Barで
の操作方法

キーボードの設定で「F1、F2などのキーを標準のファンクションキーとして使用」をオンにしていると、音量調節キーなどがファンクションキーとして動作する。この場合は「option」＋「shift」＋「fn」キーを押しながら音量調節キーを押そう。またTouch Barの場合は、Control Stripの「〈」をタップして展開すれば音量調節ボタンなどがすべて表示される。

6 Spotlightで計算や単位変換を行う

ファイル検索だけでない
Spotlightの活用テク

　「command」＋「スペース」キーで呼び出せるSpotlightは、MacBook内のあらゆるファイルを探し出せる強力な検索ツールとしてだけでなく、計算機や単位換算ツールとしても利用できる。「23.6*12.7」や「186/15」などの数式を入力すればすぐに計算結果が表示されるほか、「823cm」「37.6℃」など寸法や温度を他の単位に換算したり、「100ドル」と入力して円などの通貨に換算できる。

1 検索ウインドウに
数式や寸法を入力

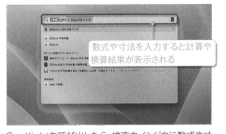

数式や寸法を入力すると計算や換算結果が表示される

Spotlightを呼び出したら、検索ウインドウに数式や寸法、重量、温度、通貨などを入力すると、すぐに計算結果やよく使われる単位に変換される。

2 他の換算結果も
表示できる

823 センチメートル
324.016 インチ

8.23 メートル
9.00044 ヤード
27.0013 フィート
8,230 ミリメートル

その他主な単位への換算結果

検索ウィンドウ下の候補をクリックすると、その他の主な単位や通貨への換算結果がまとめて表示される。

7　通知を音声で読み上げてもらう

通知や確認ダイアログを音声で知らせてくれる

「システム設定」→「アクセシビリティ」→「読み上げコンテンツ」を開き、「通知を読み上げる」をオンにしておくと、通知が届いた際に音声で読み上げてくれるので、画面を見ていない時でも何の通知が届いたかすぐに把握できる。ただし、通知設定が「バナー」になっているアプリの通知は読み上げられない。また、メッセージやメールの場合は差出人名を読み上げるだけで内容までは読み上げてくれない。確認画面や警告ダイアログが表示された際は、その内容もすべて読み上げて知らせてくれる。標準では通知が届いてから読み上げるまでに20秒ほどタイムラグがあるが、「通知を読み上げる」の「i」ボタンをクリックすれば読み上げるまでの反応時間を変更可能だ。通知が届いてすぐに読み上げて欲しいなら、反応時間を0秒に変更しておけばよい。

1　通知の読み上げを有効にする

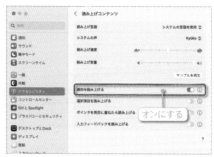

「システム設定」→「アクセシビリティ」→「読み上げコンテンツ」で「通知を読み上げる」をオンにすると、通知を音声で読み上げるようになる。

2　読み上げる反応時間を調整する

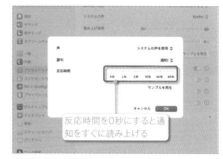

反応時間を0秒にすると通知をすぐに読み上げる

「通知を読み上げる」右の「i」ボタンをクリックすると設定画面が開く。通知が届いてすぐ読み上げて欲しい場合は「反応時間」を0秒に設定しておこう。

POINT

バナーの通知は読み上げてくれない

アプリの通知設定が「バナー」になっていると、音声で読み上げてくれないので注意しよう。「通知パネル」に変更すると読み上げてくれる。通知設定の変更は、「システム設定」→「通知」でアプリを選んで行う。また、メッセージやメールの通知で読み上げるのは差出人の名前だけで、内容は読み上げない。Siriに「○○からの最新のメッセージを読み上げて」などと頼むと内容も読み上げてくれる。

8　選択した文章を読み上げてもらう

画面上のテキストを音声で読み上げてくれる

「システム設定」→「アクセシビリティ」→「読み上げコンテンツ」を開き、「選択項目を読み上げる」をオンにしておくと、ショートカットキー（標準では「option」+「esc」）を押すことで、選択したテキストを音声で読み上げてくれる。選択されていない場合も、画面上の読み上げ可能なテキストが読み上げられる。テキストエディタやメールなどの文章の場合は、カーソル位置から読み上げてくれる。ショートカットキーは変更も可能だ。

1　テキストの読み上げを有効にする

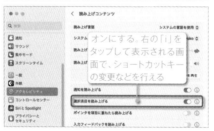

オンにする。右の「i」をタップして表示される画面で、ショートカットキーの変更などを行える

「システム設定」→「アクセシビリティ」→「読み上げコンテンツ」で「選択項目を読み上げる」をオンにすると、テキストの読み上げが可能になる。

2　ショートカットキーでテキストを読み上げる

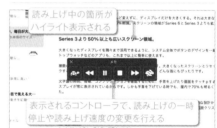

読み上げ中の箇所がハイライト表示される

表示されるコントローラで、読み上げの一時停止や読み上げ速度の変更を行える

テキストを選択して「option」+「esc」キーを押すと、選択したテキストを読み上げてくれる。読み上げ中はコントローラが表示され操作できる。

9　時報で時刻を知らせてもらう

指定した間隔で時報を音声アナウンス

MacBookを使っているとダラダラと時間が過ぎてしまう人は、時報のアナウンスをオンにしておくのがおすすめだ。「システム設定」→「コントロールセンター」→「時計のオプション」で「時報をアナウンス」をオンにし、「間隔」を1時間／30分／15分から選択しておくと、指定した間隔ごとに音声で時刻をアナウンスしてくれる。この時報で作業に集中する時間と休憩する時間を管理しよう。

1　時計のオプションをクリック

クリック

時計のオプション...

「システム設定」→「コントロールセンター」を開いたら下の方にスクロールし、「時計のオプション」ボタンをクリックする。

2　時報をアナウンスをオンにする

オンにする

時報をアナウンスする間隔を1時間／30分／15分から選択

「時報をアナウンス」をオンにし、その下の「間隔」で1時間／30分／15分から選択すると、指定した間隔ごとに時報を音声でアナウンスしてくれる。

10 クイックアクションで写真やPDFを編集する

アプリを開かずに
さまざまな操作を実行

　MacBookには、PDFの作成やイメージの回転といった特定の操作を、アプリを開くことなくFinderやデスクトップから直接実行できる「クイックアクション」機能が用意されている。ファイルを右クリックして「クイックアクション」メニューから操作を選択しよう。選択したファイルによって表示されるメニューは異なるほか、「システム設定」→「プライバシーとセキュリティ」→「機能拡張」→「Finder」で利用したいクイックアクションが有効になっている必要がある。

クイックアクションを有効にする

「システム設定」→「プライバシーとセキュリティ」→「機能拡張」→「Finder」で、利用したいクイックアクションにチェックしておこう。

複数のPDFや画像を PDFにまとめる

複数のPDFや画像を選択して、右クリックメニューから「クイックアクション」→「PDFを作成」をクリックすると、ひとつのPDFファイルに結合できる。

画像を開かず 向きを回転させる

画像を選択して「反時計回りに回転」（または「option」キーを押しながら「時計回りに回転」）をクリックすると画像を回転できる。複数の画像を選択して、まとめて処理することも可能だ。

写真の被写体を 切り抜く

写真を選択して「背景を削除」をクリックすると、人や動物などの被写体が自動で切り抜かれ「○○の背景が削除されました」という名前で保存される。複数の写真を選択して、まとめて処理することも可能だ。

---

11 壁紙の写真を時間とともに自動で切り替える

フォルダやアルバムを
追加して自動切り替え

　デスクトップの壁紙は「システム設定」→「壁紙」で変更可能だ。保存した写真や画像を壁紙にしたい場合は、一番下の「フォルダを追加」や「写真アルバムを追加」をクリックし、壁紙用の画像が入ったフォルダやアルバムを追加しておこう。さらに「自動切り替え」をクリックすると、指定した間隔（5秒〜1日ごと）でフォルダやアルバム内の画像が一定間隔で切り替わって表示されていく。

1 壁紙の設定でフォルダや アルバムを追加

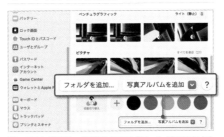

「システム設定」→「壁紙」にある「フォルダを追加」や「写真アルバムを追加」をクリックし、壁紙にしたい画像が入ったフォルダやアルバムを追加する。

2 自動切り替えをオンにし 切り替える間隔を設定

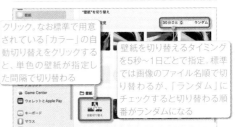

クリック。なお標準で用意されている「カラー」の自動切り替えをクリックすると、単色の壁紙が指定した間隔で切り替わる

壁紙を切り替えるタイミングを5秒〜1日ごとで指定。標準では画像のファイル名順で切り替わるが、「ランダム」にチェックすると切り替わる順番がランダムになる

追加したフォルダやアルバムの「自動切り替え」をクリックし、上部の「ピクチャを変更」で切り替える間隔を指定すれば、壁紙が自動で切り替わる。

---

12 デスクトップをスタック機能で整理する

ファイルを自動で
グループ化する

　デスクトップの「スタック」機能を有効にすると、デスクトップ上のファイルを種類（画像やPDFなど）や日付（作成日や最後に開いた日など）、Finderのタグでグループ化して表示できるようになる。デスクトップに大量のファイルをちらかしがちな人は、この機能で整理してデスクトップをスッキリした状態に保とう。まとめられたスタックは、クリックすると展開して個別に確認できる。

1 スタックを有効にし タイプを選択

グループ化するタイプを選択

チェックする

デスクトップをクリックして「表示」→「スタックの使用」にチェック。続けて「スタックのグループ分け」でグループ化するタイプにチェックする。

2 同タイプのファイルが まとめて表示される

スタックをクリックすると展開して個別のファイルを表示できる

たとえば種類でグループ分けすると、イメージやPDF書類などファイルの種類ごとにまとめて表示される。クリックすると展開して個別のファイルを確認できる。

使い勝手を左右する設定を見直そう

あらかじめチェックしておきたいシステム設定のポイント

1 自動スリープまでの時間とスリープ中の挙動を設定

省電力やセキュリティを考慮して設定する

MacBookは一定時間画面を操作しないと自動的にディスプレイがオフになりスリープする。無用なバッテリー消費を抑えるとともにセキュリティにも配慮した仕組みだが、すぐに消灯すると使い勝手が悪い。バッテリー駆動時と電源アダプタ接続時で、それぞれバランスを考えて設定しよう。またスリープ中でもメールやメッセージを受信し、MacBookを最新の状態に保つ設定も用意されている。

1 自動でスリープするまでの時間を変更する

それぞれの項目でスリープまでの時間を設定

「システム設定」→「ロック画面」にある「バッテリー駆動時に〜」と「電源アダプタ接続時に〜」で、それぞれ自動スリープまでの時間を設定しよう。

2 スリープ中もMacBookを最新の状態に保つ

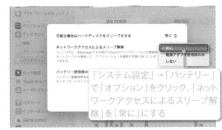

「システム設定」→「バッテリー」で「オプション」をクリック。「ネットワークアクセスによるスリープ解除」を「常に」にする

スリープ中でもメールやメッセージを受信するには、バッテリーの設定で「ネットワークアクセスによるスリープ解除」を「常に」にしておく。

2 画面の色合いや明るさに関する設定をチェック

画面の黄色っぽさや急に暗くなるのを防ぐ

MacBookは「True Tone」機能により、周辺の環境光を感知して色と明度を自動で調整するが、特に室内では画面が黄色っぽい暖色系になる傾向がある。気になる場合は機能をオフにしよう。また、電源アダプタ接続からバッテリー使用に切り替えると、標準ではバッテリー節約のためディスプレイが少し暗くなるように設定されている。これも明るさを変更したくない場合は機能をオフにしよう。

1 画面が黄色っぽくなるのを防ぐ

オフにする

「システム設定」→「ディスプレイ」にある「True Tone」をオフにすると黄色っぽさが消え、青味がかったクールな色合いになる。

2 電源アダプタを外した際に画面を暗くしない

「システム設定」→「ディスプレイ」で下の方にある「詳細設定」をクリック。「バッテリー使用時はディスプレイを少し暗くする」をオフにする

バッテリー使用時に画面が暗くなるのを防ぐには、ディスプレイの設定で「バッテリー使用時はディスプレイを少し暗くする」をオフにすればよい。

3 夜間はディスプレイを目に優しいカラーにする

夜間はダークモードに自動で切り替える

MacBookは外観モードを明るい「ライトモード」と暗い「ダークモード」から選択できる。黒をベースとした色調のダークモードは、ライトモードと比べ目が疲れにくく、バッテリー消費も少し抑えられるのがメリットだ。外観モードは「システム設定」→「外観」で切り替えでき、「自動」にすると日の入り時刻に自動でダークモードになる。自動で切り替えるタイミングは「システム設定」→「ディスプレイ」→「Night Shift」で変更できる。

1 外観モードを設定する

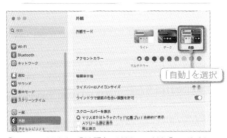

「自動」を選択

「システム設定」→「外観」で外観モードを「ライト」か「ダーク」に切り替えできるほか、「自動」にすると夜間は自動的にダークモードになる。

2 ダークモードにする時間帯を指定する

自動でダークモードにする時間帯を指定する

「システム設定」→「ディスプレイ」→「Night Shift」で「スケジュール」を「カスタム」にすると、自動でダークモードに切り替える時間帯を自由に指定できる。

4　トラックパッドのジェスチャを適切に設定する

トラックパッドの操作を
自分好みにカスタマイズ

　MacBookのトラックパッドは、2本指で上下にスワイプして画面をスクロールさせたり、ピンチ操作で拡大縮小したりと、キーボードなしで快適に操作するためのさまざまなジェスチャが割り当てられている。ただ用意されているジェスチャが豊富な分、誤操作が発生しやすいジェスチャや、操作に違和感を覚えるジェスチャもある。そんな時は「システム設定」→「トラックパッド」を確認し、自分で使いやすい設定に変更しておこう。ここでは設定を確認しておきたい主な項目を紹介する。

トラックパッドの設定画面を開く

トラックパッドのジェスチャは、「システム設定」→「トラックパッド」で確認したり変更できる。ポインタの動きの速さやクリック感度なども調整可能だ。

誤操作しやすいジェスチャ
を無効にする

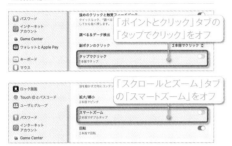

軽くタップするだけでクリックになる「タップでクリック」や、2本指を2回タップで拡大する「スマートズーム」は、誤操作しやすいのでオフがおすすめ。

ジェスチャとスクロールの
方向を同方向にする

指を動かす方向と画面のスクロール方向を同じにしたい場合は、「ナチュラルなスクロール」をオフにしよう。

右クリックのジェスチャを
変更する

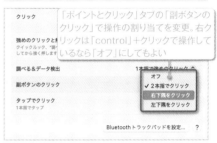

標準では2本指のクリックが右クリック（副ボタン）の操作になるが、トラックパッドの右下隅や左下隅クリックを右クリックに割り当てることもできる。

5　ディスプレイの広さを変更する

画面の解像度を
変更する

　見づらい文字やアイコン大きく表示したい場合や、もっと画面を広く使いたい場合は、画面の解像度を変更してみよう。「システム設定」→「ディスプレイ」で「文字を拡大」を選ぶと、画面の文字やアイコンは大きくなるが1画面に表示できる情報やウインドウは少なくなる。「スペースを拡大」を選ぶと画面の文字やアイコンなどは小さく表示されるが、1画面に表示できる情報やウインドウが多くなる。

1　「ディスプレイ」設定で
###　　解像度を変更する

「システム設定」→「ディスプレイ」で画面の解像度を変更できる。4～5段階で変更できるので、好きな解像度をクリックしよう。

2　文字サイズや画面の
###　　広さが変更される

解像度を最小にした場合と最大にした場合では、画面の見え方がこれくらい変わる。自分で使いやすい解像度に調整しておこう。

6　iCloudにデスクトップと書類を保存しない

iCloudの空き容量が
足りない時はオフに

　iCloud Driveの設定で「"デスクトップ"フォルダと"書類"フォルダ」がオンだと、「デスクトップ」や「書類」フォルダに作成したファイルの保存先がiCloud Driveになる（No041で解説）。他のデバイスからMacBookのファイルにアクセスできて便利だが、デスクトップに大量のファイルを置いていると容量が不足しがちなので、iCloud Driveの空き容量が足りない時は機能をオフにしておこう。

1　システム設定の
###　　iCloud Driveをクリック

「システム設定」で一番上のApple IDをクリックし、「iCloud」→「iCloud Drive」をクリックする。

2　デスクトップと書類の
###　　同期をオフにする

「"デスクトップ"フォルダと"書類"フォルダ」をオフにすると、デスクトップや書類フォルダの保存先が、iCloud DriveからMacBookのストレージに戻る。

7　通知音（警告音）の種類を変更する

誤った操作などの警告音も変更できる

　メールやFaceTimeの着信音ではなく、誤った操作を行った際などに鳴る通知音（警告音）は、「システム設定」→「サウンド」画面にある「通知音」で変更できる。通知音の音量も変更できるが、MacBookの主音量を基準とした音量なので、コントロールセンターなどで音量を上げると警告音の音量も上がる点に注意しよう。なお、起動時のサウンドやゴミ箱に入れる際の音を消すこともできる。

1　通知音の種類と音量を変更する

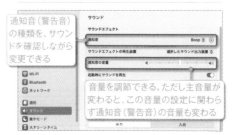

通知音（警告音）の種類を、サウンドを確認しながら変更できる

音量を調節できる。ただし主音量が変わると、この音量の設定に関わらず通知音（警告音）の音量も変わる

「システム設定」→「サウンド」の「通知音」欄で通知音（警告音）の種類を変更できる。その下のスライダーで音量も調節可能だ。

2　起動時やゴミ箱に入れる際の音をオフ

それぞれオフにする

「起動時にサウンドを再生」をオフにすると起動時の音が鳴らない。「ユーザインターフェイス〜」をオフにするとゴミ箱に入れる音やスクリーンショットの音が消える。

8　macOSの自動アップデートをオフにする

内容を確認してからアップデートしたい場合に

　MacBookの基本ソフトであるmacOSは、定期的に不具合を解消したり新機能を追加したアップデートが配信される。基本的に現在のmacOSを改善するためのプログラムなので、早めにアップデートを済ませた方が良い場合が多い。標準ではアップデートが配信されると自動的にダウンロードが開始され、電源アダプタが接続されている時に自動でインストールされる設定になっている。ただ、特に大型のアップデートの配信直後だと、環境によってはトラブルが発生することもある。すでに最新アップデートを済ませた人の不具合報告などを確認してからインストールを開始したい慎重派は、自動アップデートの機能をオフにしておこう。アップデートのダウンロードだけ済ませておき、自分のタイミングで手動アップデートできる。

1　アップデートの設定で「i」をクリック

クリック

アップデートの設定を変更するには、「システム設定」→「一般」→「ソフトウェアアップデート」で「自動アップデート」欄にある「i」をクリック。

2　自動インストールの設定をオフにする

macOS アップデートをインストール

オフにする

「macOSアップデートをインストール」だけオフにしておけば、アップデートは自動でダウンロードされ、インストールを自分のタイミングで行える。

POINT
セキュリティ更新は自動インストールのままで

自動アップデートの設定欄でオフにするのは「macOSアップデートをインストール」だ。アプリの更新も手動で行いたいなら「App Storeからの〜」もオフにしよう。なお、「セキュリティ対応とシステムファイルをインストール」はオンのままが推奨される。「アップデートを確認」と「新しいアップデートがある場合はダウンロード」もオンでよい。

9　デフォルトのWebブラウザを変更する

インストール済みのWebブラウザに変更できる

　Windowsやスマートフォンで他のWebブラウザを使い慣れているなら、MacBookのデフォルトのWebブラウザを変更することも可能だ。たとえばデフォルトのWebブラウザをChromeにすれば、メールやTwitterでURLをクリックするとSafariではなくChromeが起動する。またHandoff機能（No040の記事1で解説）により、MacBookのChromeで開いたWebサイトをiPhoneのSafariに引き継ぐといったこともできる。

デフォルトにするWebブラウザを選択

デスクトップとDockで変更できる

「システム設定」→「デスクトップとDock」を開き、「デフォルトのWebブラウザ」のメニューをクリック。インストール済みのWebブラウザが一覧表示されるので、デフォルトのWebブラウザとして利用したいものを選択しよう。

10 30日後にゴミ箱からファイルを自動削除する

Finderで自動削除を
有効にしておこう

　不要なファイルを削除してもゴミ箱を空にするのを忘れていると、気付けばゴミ箱だけでストレージの空き容量を圧迫していることがある。ストレージ容量を無駄に消費しないように、Finderの設定で「30日後にゴミ箱から項目を削除」を有効にしておこう。ゴミ箱に入れて30日経過したファイルは自動で削除される。なおiCloud Driveからゴミ箱に入れたファイルは、Finder設定に関係なく30日後に自動で削除される。

Finder設定の詳細
画面を開く

Finderの「Finder」→「設定」→「詳細」画面を開き、「30日後にゴミ箱から項目を削除」にチェックすると、ゴミ箱の自動削除が有効になる。

POINT

必ずTime Machineで
バックアップしておこう

　ゴミ箱の自動削除を有効にしていると、あとでファイルが必要になっても30日経過していれば消えており復元できない。後悔しないようにTime Machineで定期的にバックアップを作成しておこう。ゴミ箱はバックアップの対象外なのでTimeMachineでブラウズして削除前のファイルを復元することはできないが、ゴミ箱に入れる前のファイルなら残っている。自動削除されたファイルが元々あったフォルダを探して日時を遡り、ファイルを復元しよう。

---

11 アプリ起動時に前回使っていたウインドウを開く

アプリ起動時の
動作を変更できる

　アプリを起動する際に、前回終了時に開いていたウインドウも一緒に開くようにしたいなら、「システム設定」→「デスクトップとDock」を開いて「アプリケーションを終了するときにウインドウを閉じる」をオフにしておこう。前回作業していたウインドウが復元され素早く再開できる。アプリ起動時にいちいち元のウインドウが開くのがわずらわしいなら、スイッチをオンにしておけばよい。

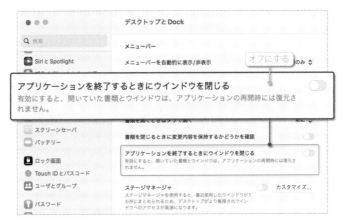

デスクトップと
Dockで
スイッチをオフ

「システム設定」→「デスクトップとDock」を開いて「アプリケーションを終了するときにウインドウを閉じる」のスイッチをオフにしておくと、アプリを起動した時に前回開いていたウインドウも一緒に復元される。オンにすると、アプリを終了した時点で開いていたウインドウは閉じて次回起動時に復元されない。

---

12 確認しておきたいその他の設定項目

バッテリー残量やスペック
の調べ方もチェック

　他にもチェックしておくべき設定をまとめて紹介しよう。まず、MacBookのバッテリー残量が数値ではっきり分かるように、「システム設定」→「コントロールセンター」で「割合（%）を表示」を

オンにしておこう。メニューバーにバッテリー残量が%で表示されるようになる。また、今使っているMacBookがどのようなスペックか確認したい時は、「システム設定」→「一般」→「情報」をチェック。モデル名や搭載チップ、メモリ、ストレージなどの情報を確認できる。さらに一番下の「システムレポート」をクリックすると、ハードウ

ェアやネットワークなどのあらゆるシステム情報を詳細に確認できる。探している設定がどの画面にあるか分からない場合は、「システム設定」の左メニュー上部に用意されている検索ボックスを利用しよう。キーワードで検索すると、検索結果からキーワードを含む設定項目を開くことができる。

バッテリー残量を
数値でも表示する

「システム設定」→「コントロールセンター」で「割合（%）を表示」をオンにすると、メニューバーにバッテリー残量が%で表示されるようになる。

ハードウェアの
スペックを確認する

「システム設定」→「一般」→「情報」画面の一番下にある「システムレポート」をクリックすると、MacBookの詳細なスペックを確認できる。

設定項目を
キーワード検索する

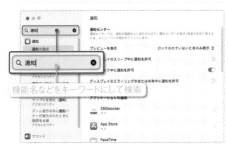

「システム設定」で目的の設定がどこにあるかわからない時は、画面左上の検索ボックスでキーワード検索を行える。

020

ファイル操作

覚えておくと便利なファイル操作テク
Finderとファイル操作を
より快適にする便利技

---

1 新規Finderウインドウをデスクトップに変更する

新規Finderで表示する
フォルダは変更できる

　新規Finderウインドウを開くと、デフォルトでは「最近の項目」フォルダが表示されるが、MacBookでよく扱うファイルをほとんどデスクトップに保存しているなら、Finderでも最初から「デスクトップ」が開いたほうが実用的だ。Finderのメニューバーから「Finder」→「設定」→「一般」画面を開き、「新規Finderウインドウで次を表示」のメニューを「デスクトップ」に変更しておこう。

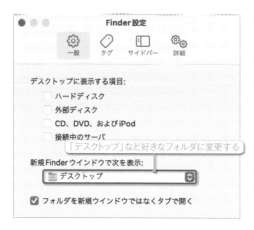

Finder設定で好きな
フォルダを指定する

　Finderのメニューバーで「Finder」→「設定」→「一般」画面を開き、「新規Finderウインドウで次を表示」のドロップダウンメニューをクリックして「デスクトップ」に変更しておこう。新規Finderで開いた時に開くフォルダはデスクトップだけでなく、書類やiCloud Drive、その他好きなフォルダを自由に指定できる。

---

2 アイコンプレビューと拡張子を有効にする

どちらも表示させて
おくのがおすすめ

　Finderがアイコン表示の時はファイルがサムネイルで表示され、特に画像ファイルは何の画像かひと目で認識できる。このサムネイルが表示されないフォルダは、Finderの表示オプションで「アイコンプレビューを表示」のチェックを確認しよう。また標準ではファイルの拡張子が表示されず、同じファイル名でファイル形式が異なる場合などに区別できず不便だ。拡張子はすべて表示させておこう。

アイコンプレビューを
有効にする

Finderの「表示」→「表示オプションを表示」をクリックし、「アイコンプレビューを表示」にチェックすると、ファイルの中身がサムネイルで表示される。

ファイル名に拡張子を
表示させる

Finderの「Finder」→「設定」→「詳細」画面を開き「すべてのファイル名拡張子を表示」にチェックしておくと、ファイル名に拡張子が表示される。

---

3 クイックルックでファイルの内容を素早く確認

ほとんどのファイルの
内容を手軽に確認できる

　ファイルの中身をサッと確認したい時に便利な機能が「クイックルック」だ。ファイルを選択した状態で「スペース」キーを押すだけで、画像や動画、オフィス文書、PDFなどさまざまなファイルの中身をプレビュー表示してくれる。カーソルキーを押せば同じフォルダ内のファイルを次々にクイックルックできるほか、通常は一度取り出さないと開けないゴミ箱内のファイルもクイックルックで確認できる。

1 ファイルを選択して
スペースキーを押すだけ

ファイルを選択して「スペース」キーを押すだけで、そのファイルの内容をクイックルックで表示できる。

2 ゴミ箱内のファイルも
クイックルックできる

ゴミ箱に入れたファイルは、一度他のフォルダなどに移動しないとダブルクリックで開くことができないが、クイックルックを使えば中身を確認できる。

---

4 Finderウインドウのツールバーを編集する

ツールバーに表示される ボタン類をカスタマイズ

Finderウインドウのツールバーに配置されている、表示形式の切り替えボタンや検索欄などの項目は、自由に並べ替えたり新しい項目を追加できる。ツールバーを右クリックして「ツールバーをカスタマイズ」をクリックすると追加できる項目が一覧表示されるので、追加したいものをドラッグ&ドロップでツールバーに配置しよう。ツールバーの項目をツールバーの外にドラッグすると削除できる。

1 ツールバーの カスタマイズ画面を開く

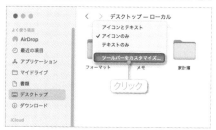

Finderウインドウを開き、ツールバーを右クリックして「ツールバーをカスタマイズ」をクリックすると編集画面が表示される。

2 ツールバーの項目を 追加したり並べ替える

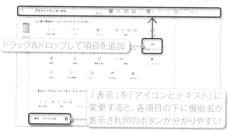

ツールバーに表示したい項目をツールバー上にドラッグ&ドロップして追加しよう。ツールバーの項目をツールバーの外にドラッグすると削除できる。

---

5 Finderウインドウのサイドバーを編集する

サイドバーに表示される 項目をカスタマイズ

Finderウインドウのサイドバーには「よく使う項目」「iCloud」「場所」といった項目が表示されている。これらの項目も自由にカスタマイズが可能だ。Finderのメニューバーから「Finder」→「設定」で「サイドバー」画面を開き、あまり使わない項目のチェックを外しておけばサイドバーの表示がスッキリする。また、よく使うフォルダが深い階層にあってアクセスが面倒な時は、フォルダをサイドバーの「よく使う項目」欄にドロップしておこう。ワンクリックでフォルダを開くことができるようになる。そのほか、DropboxやGoogleドライブなどインストールしたクラウドサービスの同期フォルダや、Finderの「移動」→「サーバへ接続」で追加したFTPサーバなど（記事15で解説）は、「場所」欄に項目が追加され簡単にアクセスできるようになっている。Dropboxなどのフォルダを「よく使う項目」欄に追加することももちろん可能だ。

1 サイドバーに表示する 項目を整理する

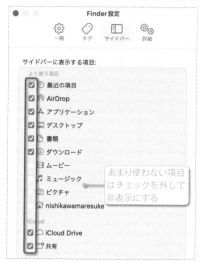

Finderのメニューバーから「Finder」→「設定」で「サイドバー」画面を開き、サイドバーに表示したい項目のみチェックを入れておこう。

2 サイドバーの項目を 手動で編集する

任意のフォルダをサイドバーに追加するには、フォルダを「よく使う項目」にドラッグ&ドロップすればよい。

---

6 ファイルもショートカットキーでコピペできる

Finderのファイル操作も ショートカットで効率化

「command」+「C」でコピーして「command」+「V」でペーストするいわゆる「コピペ」は、テキストの編集でよく使う操作だが、ファイルやフォルダに対しても利用できる。ペーストを「command」+「Z」で取り消したり、取り消したペーストを「shift」+「command」+「Z」でやり直すことも可能。ショートカットキーを使えば、複数のファイルを素早く効率的に操作できるので覚えておこう。

Finder内のファイルに使える主なショートカット

ファイルをコピー

コピーしたファイルを移動

操作の取り消し

コピーしたファイルをペースト

ファイルを複製

option + ドラッグ

取り消した操作のやり直し

コピーやペースト、取り消し、やり直しといった基本ショートカットのほか、コピーしたファイルのペースト時に「option」+「command」+「V」を押せばカット&ペーストのようなファイル移動が可能だ。また「option」キーを押しながらファイルをドラッグすると、ファイル名末尾に番号（「○○○ 2」など）を追加して複製できる。

7 複数のファイルを簡単にフォルダにまとめる

フォルダ作成とファイル
移動をワンクリックで実行

複数のファイルをフォルダにまとめるには、あらかじめ右クリックから新規フォルダを作成しておき、選択したファイルをフォルダ内にドラッグ&ドロップして移動させる手順が必要だ。しかし複数のファイルを選択した状態で右クリックし、「選択項目（○項目）から新規フォルダ」をクリックすれば、新規フォルダの作成とファイルの移動をワンクリックでまとめて行えるので覚えておこう。

1 複数ファイルを選択して右クリックする

複数のファイルを選択した状態で右クリックし、メニューから「選択項目（○項目）から新規フォルダ」をクリックする。

2 新規フォルダを作成してファイルが移動する

新規フォルダが作成され、選択したファイルが自動的に格納される。フォルダ名は「選択項目から作成したフォルダ」になるので変更しておこう。

---

8 圧縮と解凍に関する便利技

アーカイブユーティリティ
を使いこなそう

macOSは標準でファイルの圧縮や解凍に対応しており、複数ファイルを選択して右クリックからまとめてzipに圧縮したり、zipファイルをダブルクリックするだけで解凍できる。ただ、標準アプリの「アーカイブユーティリティ」を使えば、もっと多彩な圧縮や解凍方法を選べるので覚えておこう。たとえば、zipファイルを解凍後に自動でゴミ箱に移動したり、複数選択したファイルをまとめて圧縮するのではなくそれぞれ個別のzipファイルに圧縮するといった設定が可能だ。

アーカイブユーティリティの起動方法

「アーカイブユーティリティ」はLaunchpadにないので、Spotlightで検索して起動しよう。また複数ファイルの個別圧縮を利用するためにDockに登録しておくのがおすすめ。

1 アーカイブユーティリティの設定を開く

Spotlightでアーカイブユーティリティを検索して起動したら、メニューバーの「アーカイブユーティリティ」→「設定」をクリックする。

2 解凍後のzipファイルを自動でゴミ箱に入れる

「展開後」のメニューから「アーカイブをゴミ箱に入れる」を選択しておくと、解凍したあとのzipファイルを自動でゴミ箱に入れる。

3 複数選択したファイルを個別に圧縮する

「アーカイブのフォーマット」を「ZIPアーカイブ」にし、複数のファイルをDockのアーカイブユーティリティにドロップすると、個別に圧縮される。

---

9 エイリアスの実践的な活用法

複製とは違う便利な
機能を使いこなそう

macOSの「エイリアス」とは、ファイルやフォルダの本体にアクセスするためのアイコンを作る機能だ。Windowsにおける「ショートカット」と同じ役割で、深い階層にあるファイルを素早く開くためにデスクトップに作成したり、ファイルやフォルダ本体を移動せずに別の仕分け方でフォルダにまとめておきたい際などに活用しよう。エイリアスを移動したり削除しても元のファイルには影響しない。

1 右クリックメニューからエイリアスを作成

ファイルやフォルダを右クリックして「エイリアスを作成」をクリックすると、このファイルやフォルダにアクセスできるエイリアスが作成される。

2 別々の場所のファイルをエイリアスでまとめよう

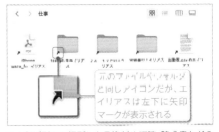

たとえば別々の場所にある資料や原稿、請求書などのエイリアスを作成すれば、元のファイルを動かさず「仕事」フォルダにまとめて整理できる。

10 ドラッグ＆ドロップをキャンセルする

ファイルのドラッグ操作は簡単な操作で取り消せる

ファイルをドラッグ&ドロップで移動しようとして途中でやめたくなった場合は、いったん移動してから操作を取り消さなくても、ドラッグ操作をキャンセルする方法がいくつかあるので覚えておこう。ドラッグ操作中に「esc」キーを押すか、ドラッグ中のファイルを画面上部のメニューバーにドロップするか、ウインドウのツールバーにドロップすればよい。ドラッグ中だったファイルは元の場所に戻る。

1 ファイルをドラッグ中に「esc」キーを押す

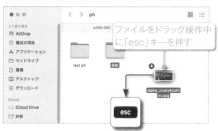

ファイルをドラッグ操作中にキャンセルしたくなったら、キーボードの「esc」キーを押せば、すぐにドラッグ中のファイルが元の場所に戻る。

2 メニューバーやツールバーにドロップ

ドラッグ中のファイルをメニューバーやツールバーの空いたスペースにドロップすれば、同様にドラッグがキャンセルされファイルが元の場所に戻る。

11 開いているファイルの保存場所を確認する

ファイル名を右クリックしてフォルダを一覧表示

作業中のファイルの保存場所を確認したい時は、タイトルバーにあるファイル名部分を右クリックしてみよう。このファイルが格納されているフォルダが、上位階層を含めて一覧表示される。

このリストからフォルダを選択するとFinderで開く。アプリによっては、ファイル名の右に表示される「∨」ボタンをクリックして、保存場所を確認したり変更することも可能だ。なお、Finderの「＜」「＞」ボタンでフォルダの階層を移動できない時も、フォルダ名を右クリックすれば上位階層に戻ることができる。

最近の項目の確認に便利

Appleメニューの「最近使った項目」やFinderの「最近の項目」から開いたファイルは、この方法を使えば手軽に保存場所を確認したり表示できるので覚えておこう。

1 ファイル名を右クリックする

ファイルの保存場所が分からなければ、タイトルバーのファイル名を右クリックしてみよう。このファイルの保存場所が上位階層を含めて一覧表示される。

2 ファイル名右の「∨」からも確認できる

アプリによってはファイル名の右にある「∨」ボタンをクリックすると、「場所」欄でファイルの保存先を確認したり変更することもできる。

3 Finderのフォルダ名から階層を移動する

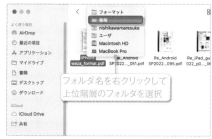

Finderの場合はフォルダ名を右クリックすると、同様に上位階層のフォルダが一覧表示される。上位階層のフォルダに戻りたい時に利用しよう。

12 パスバーやステータスバーを表示する

パスバーを表示する

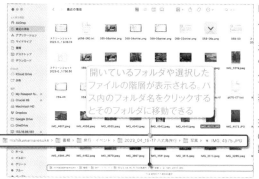

Finderのメニューバーから「表示」→「パスバーを表示」をクリックすると、表示中のフォルダや選択したファイルのパスが表示される。特に「最近の項目」で選択したファイルの場所を素早く確認できて便利だ。

ステータスバーを表示する

Finderのメニューバーから「表示」→「ステータスバーを表示」で、表示中のフォルダにある項目数や選択状態の項目数、およびストレージの空き容量が表示される。また、右端のスライダーでアイコンの大きさを調整することもできる。

13 複数のFinderウインドウをタブで管理する

Finderで開いているフォルダを、Safariのようにタブで管理したいなら、Finderのメニューバーから「表示」→「タブバーを表示」をクリックしてタブバーを表示させよう。タブバーの右端に表示されている「+」ボタンをクリックすると新規タブが開いて表示が切り替わる。また、

「command」+「T」キーを押せば、「タブバーを表示」を有効にしていなくてもすぐに新規タブが開く。フォルダを複数選択して右クリックから「新規タブを開く」を選択すると、選択したフォルダをまとめてタブで開くことができる。

タブを切り離す

タブはウインドウの外にドラッグすることで、別のウインドウとして表示することも可能だ。2つのウインドウを並べて比較したい場合などはこの方法で切り離そう。

タブをウインドウ外にドロップして切り離す

1 タブバーを表示する

クリック

Finderのメニューバーから「表示」→「タブバーを表示」をクリックすると、Finderウインドウの上部にタブバーが表示される。

2 新規タブの追加とタブの切り替え

タブを切り替える

新規タブを開く

タブバーの右端にある「+」ボタンをクリックすると新規タブが開く。開いたタブをクリックすると表示するフォルダの切り替えが可能だ。

3 複数のフォルダをまとめて新規タブで開く

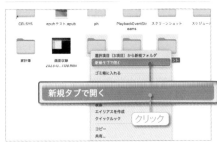

新規タブで開く

クリック

複数のフォルダを選択して「新規タブで開く」をクリックするか、「command」キーを押したままダブルクリックすると、まとめて新規タブで開くことができる。

---

14 フォルダの容量やファイル数を表示する

リスト表示でフォルダ容量を表示

チェックする

フォルダやファイルの容量が表示される

Finderをリスト表示にして、メニューバーの「表示」→「表示オプション」で「すべてのサイズを計算」にチェックしておこう。「サイズ」欄にフォルダやファイルの容量が表示されるようになる。

アイコン表示でファイル数を表示

チェックする

Finderをアイコン表示にして、メニューバーの「表示」→「表示オプション」で「項目の情報を表示」にチェックしておこう。フォルダアイコンに格納されているファイル数が表示されるほか、画像のサイズやストレージ容量なども表示される。

---

15 FinderからFTPサーバに接続する

FTPクライアント不要でアクセスできる

MacBookでFTPサーバに接続するには、「FileZilla」などのFTPクライアントアプリを利用するのが定番だが、実はFinderから直接FTPサーバに接続することもできるので覚えておこう。「移動」→「サーバへ接続」をクリックし、「ftp: //」に続けてアドレスを入力。あとは「接続」をクリックしユーザー名とパスワードを入力して接続すれば、Finderのサイドバーの「場所」欄からアクセスできる。

1 サーバへ接続をクリックして接続

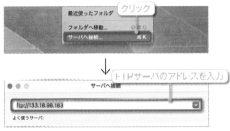

クリック

FTPサーバのアドレスを入力

メニューバーから「移動」→「サーバへ接続」をクリックし、FTPサーバのアドレスを入力して「接続」をクリック。ユーザー名とパスワードを入力する。

2 サイドバーの場所欄からアクセスできる

クリック

Finderの「場所」欄に接続したFTPサーバが追加されているので、クリックすればFTPサーバのフォルダにアクセスできる。

021

ファイル管理

スマートフォルダやタグ機能を使いこなそう

ファイルの管理を
スマートに行うテクニック

目的のファイルを
もっと見つけやすくする

　ファイル管理を極めたいなら、Finderの「スマートフォルダ」と「タグ」機能をマスターしておこう。スマートフォルダとは、Finderにおけるファイル検索（No022で解説）の結果をフォルダ化したような機能だ。スマートフォルダに検索条件を設定しておけば、その条件に合致するファイルを自動的に集めてくれるようになる。たとえば、「ファイル名に"スクリーンショット"の文字が含まれるPNG形式の画像」や「過去1ヶ月以内に作成したPDF」などの条件で該当するファイルを集めることが可能だ。なお、スマートフォルダはあくまで検索結果を表示しているだけ。そのため、スマートフォルダ自体を削除しても、該当するファイルの実体が消えるわけではない。

　もうひとつのタグ機能とは、ファイルやフォルダに特定のタグを付けて、分類できるようになる機能だ。たとえば、仕事やプライベートで重要となる書類に「重要」タグを付けておくと、ファイルがどこにあってもサイドバーの「重要」タグから見つけることができる。なお、タグの名前や色などは、自分で変更できるので使いやすいようにカスタマイズしておくといい。

検索した条件で項目を自動で集める「スマートフォルダ」

1 新規スマートフォルダを作成する

スマートフォルダを作りたい場合は、まずFinderの「ファイル」→「新規スマートフォルダ」を実行しよう。すると、新規スマートフォルダのウインドウが開く。

2 検索条件を設定して「保存」をクリック

スマートフォルダに集めるファイルの検索条件を設定しよう。検索欄にキーワードを入力、または「+」ボタンで検索条件を設定したら、「保存」をクリックする。

3 スマートフォルダの名前と場所を指定して保存

スマートフォルダの名前と保存場所を設定して「保存」をクリックする。「サイドバーに追加」にチェックを入れると、Finderウインドウのサイドバーに追加可能だ。

4 あとでスマートフォルダの検索条件を変更する

あとでスマートフォルダの条件を変えたい場合は、スマートフォルダを開き、ツールバーの「…」ボタンから「検索条件を表示」を選択。検索条件を変更しよう。

タグ機能でファイルを管理する

1 Finder設定でタグの設定を行う

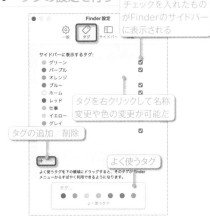

まずは、タグを設定しておこう。Finderメニューバーから「Finder」→「設定」を選択。「タグ」画面で各種タグの名称や色の変更、Finderのサイドバーに表示するタグの設定、タグの追加／削除などが可能だ。また、よく使うタグ（7つまで設定できる）も設定しておこう。

2 ファイルにタグを付ける

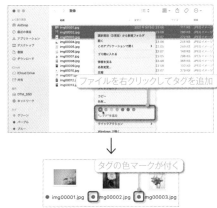

ファイルにタグを付ける場合は、ファイルを右クリックしてタグを選択すればいい。なお、タグは1つのファイルに対して複数付けることが可能だ。また、タグの付いたファイルは、タグの色マークが付くようになる。

3 Finderのサイドバーからタグの付いたファイルを表示

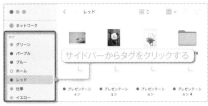

Finderウインドウのサイドバーからタグを選ぶと、そのタグが付いた項目が一覧表示される。これで特定のタグの付いたファイルを素早く見つけることが可能だ。

スマートフォルダとタグを組み合わせる

スマートフォルダの検索条件にタグを設定することで、2つの機能を組み合わせることが可能だ。なお、初期設定の状態だと、検索条件として「タグ」を選ぶことができない。その場合は、検索条件のドロップダウンメニューから「その他」を選び、「タグ」をメニューに表示しておこう。

Finderの検索やSpotlight検索を使いこなそう

MacBook上のファイルや
各種情報を検索する

1 Finderの検索機能でファイルを検索しよう

Finderの検索機能を使って
目的のファイルを探す

保存したファイルを探したいときは、Finderの検索機能を使おう。まずは、目的のファイルがありそうな特定のドライブやフォルダなどをFinderウインドウで開いておく。次に右上の検索欄にファイル名を入力して「return」キーを押そう。必要であれば場所やファイルの種類などの検索条件を追加することも可能だ。Finderの検索機能では、単純にファイル名だけでなく、文書ファイル内に書かれている内容や、Finderが検索キーワードから推測したファイルも結果に表示してくれる。たとえば、検索キーワードに「テキスト」と入力した場合、ファイル名に「テキスト」と含まれているものだけでなく、内容に「テキスト」と書かれているファイル、さらにリッチテキスト形式や標準テキスト形式で保存されたファイルなどを検索可能だ。また、macOSでは画像に映っている内容や文字も認識できるため、「花」と検索した場合は、花が撮影された写真や「花」という文字が書かれた画像ファイルも見つけ出せる。目的のファイルをどこに保存したか忘れてしまっても、関連するキーワードを入力して条件を設定して検索すれば、きっと見つけ出せるはずだ。

1 各種アプリで
保存ダイアログを表示する

Finderウインドウで検索したい場所を開き、右上の虫眼鏡マークをクリック。検索キーワードを入力して「return」キーを押す。検索をファイル名のみに限定したい場合は、「名前に"○○○"を含む」を選択しておく。

2 検索の場所を
指定する

検索結果が表示される。検索する場所は「このMac」もしくは先ほどFinderウインドウで開いた場所（上画像では「書類」フォルダ内）から選べる。「このMac」だと、外付けストレージも含めたMac全体から検索が可能だ。

3 検索条件を追加して絞り込む

検索キーワード入力欄の下にある「+」をクリックすると、検索条件を追加することができる。たとえば、ファイルの「種類」を「書類」に限定する、といったことが可能だ。また、「option」キーを押すと「+」ボタンが「…」ボタンに変わり、クリックすることで「次のいずれかの条件を満たす」、「次のすべての条件を満たす」、または「次のいずれの条件も満たさない」といった論理演算子（OR、AND、またはNOT）を使用して検索が行える。

2 Spotlight検索であらゆるデータを探し出す

どんな画面からでも
すぐ呼び出せる検索機能

「Spotlight」とは、「command」+「スペース」キーですぐに呼び出せる強力な検索機能だ。ファイルだけでなく、アプリやメール、ブックマーク、カレンダーのイベントなどあらゆる情報を探し出せる。たとえば、アプリを起動する場合、Launchpadを起動して目的のアプリを探すよりも、Spotlightでアプリ名を検索した方がスピーディだ。ただし、検索対象が広すぎて関係ない情報もヒットしがちなので、ファイルを探すだけならFinderの検索機能を使おう。

Spotlightで目的の
データを見つけ出す

メニューバー右上の虫眼鏡ボタンをクリックするか、「command」+「スペース」キーを押すと、Spotlightの検索画面が表示される。キーワードを入力すると、検索結果がカテゴリ別にリストアップされる。

MacBook全体を横断検索するので、過去の企画案件に関する情報をファイルやメール、ブックマークなどから洗いざらい探し出したいといった用途に向いている。検索結果を選択して「スペース」キーを押すとクイックルックで表示可能だ。アプリ名で検索してアプリランチャーとして使うのもおすすめ

メニューバーやクイックアクションなどの項目をカスタマイズ

各種表示項目を使いやすく変更する

よく使う項目を表示させておこう

デスクトップの上にあるメニューバーや右上に表示されるコントロールセンターは、表示する項目をカスタマイズ可能だ。よく使う項目は常に表示させ、不要な項目は非表示にしておこう。また、ファイルを右クリックしたときに利用できる「クイックアクション」や、各アプリの共有ボタンで表示される共有メニューの項目もカスタマイズできる。「システム設定」で自分好みの状態に変更しておこう。

メニューバーとコントロールセンターをカスタマイズ

1 メニューバーに表示する項目を設定する

メニューバーに表示する項目を設定したい場合は、「システム設定」→「コントロールセンター」で行う。表示したい項目だけメニューバーに表示しておこう。

2 コントロールセンターに表示する内容を設定する

手順1と同じ設定画面内でコントロールセンターに表示する項目も設定できる。表示したい項目は「コントロールセンターに表示」をオンにしておこう。

3 「command」キー+ドラッグで項目を移動できる

項目をドラッグ&ドロップする

メニューバーやコントロールセンターにある各項目は、「command」キーを押しながらドラッグ&ドロップで移動可能だ。メニューバーの項目は表示順も変更できる。

クイックアクションや共有メニューをカスタマイズ

1 システム設定で「アクション」と「共有」を設定する

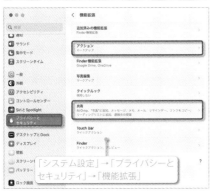

「システム設定」→「プライバシーとセキュリティ」→「機能拡張」

クイックアクションや共有メニューの項目をカスタマイズするには、まず「システム設定」→「プライバシーとセキュリティ」→「機能拡張」を開こう。「アクション」ではクイックアクションの項目、「共有」では共有メニューの項目を設定できる。

2 クイックアクションの項目をカスタマイズする

クイックアクションの項目で表示するものにチェックを入れる

「アクション」を選んだ場合は、上の画面になる。クイックアクションで表示する項目にチェックを入れておこう。追加でアプリを入れると項目が増えることもある。

3 共有メニューの項目をカスタマイズする

共有メニューで表示するアプリや機能を有効にしておこう

「共有」を選んだ場合は、上の画面になる。これは、各種アプリの共有ボタンを押したときに表示される項目だ。必要な項目にチェックを入れておこう。

文字入力に関する意外と知られていないワザを紹介!
チェックしておきたい
文字入力の操作&設定

> **これを知っておけば**
> **文字入力を効率化できる**

ここでは、文字入力に関する操作や設定をいくつか紹介しておこう。日本語入力中に文字をカタカナに変換する方法やライブ変換を無効化する方法など、知っておくと役立つ情報ばかりだ。なお、ここで紹介する内容は、macOS標準の文字入力システムでの操作および設定方法だ。

文字入力の操作&設定

カタカナに変換する

日本語入力中に自動変換が適用されている部分(アンダーラインが付いている場所)をすべてカタカナに変換したい場合は、「control」+「K」キーを押せばいい。

ライブ変換を無効にする

日本語入力時のライブ変換機能をオフにしたい場合は、「システム設定」→「キーボード」→入力ソースの「編集」から「日本語-○○○入力」にある「ライブ変換」のチェックを外せばいい。

Windows風のキー操作にする

「システム設定」→「キーボード」→入力ソースの「編集」→「日本語-○○○入力」→「Windows風のキー操作」をオンにすると、日本語入力時の操作がWindows風になる。macOSでは文字変換の候補を選ぶ際、「return」キーを2回押さないと確定しないが、これを1回で確定することが可能だ。また、ファンクションキーでの半角カタカナ変換(F8)などもできるようになる。

半角カタカナを入力する

半角カタカナを入力したい場合は、「システム設定」の「キーボード」を表示し、入力ソースの「編集」→「日本語-○○○入力」をクリックし、「半角カタカナ」にチェックを入れよう。あとは、メニューバーから入力モードを「半角カタカナ」に切り替えて文字入力すればいい。

ユーザ辞書を登録する

> 「+」で辞書項目を追加し、「入力」と「変換」欄に内容を登録していく

変換しにくい用語や名称などがあれば、ユーザ辞書に登録しておこう。ユーザ辞書の編集は、まず「システム設定」→「キーボード」から「ユーザ辞書」ボタンをクリック。左下にある「+」ボタンを押して辞書の項目を追加すればいい。「入力」欄によみ、「変換」欄に変換したい文字列を登録しておこう。たとえば、入力欄に「メール」、変換欄によく使うメールアドレスを登録すれば、「メール」と入力するだけでそのメールアドレスに変換されるようになる。なお、iCloud Driveが有効であれば、ユーザ辞書の内容を同じApple IDでサインインしたiPhoneやiPadと同期することが可能だ。

文字を再変換する

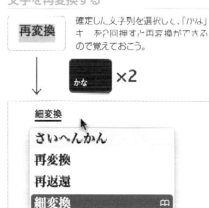

確定した文字列を選択して、「かな」キーを2回押すと再変換ができるので覚えておこう。

変換候補の学習を一時的に停止

変換候補の学習を一時的に停止するには、メニューバーにあるmacOS標準の日本語入力システムのアイコンから「プライベートモード」を有効にしよう。連絡先アプリに保存されている住所などの情報も変換候補として表示されなくなる。

変換履歴をリセットする

誤った変換履歴などを消去したい場合は、日本語の変換履歴をリセットしよう。「システム設定」→「キーボード」→入力ソースの「編集」→「日本語 - ローマ字入力」を表示したら、一番下にある「リセット」を押せばいい。

025

音声入力

キーボードを使わずにテキストを入力する

音声入力を使って
テキストを入力してみよう

MacBookに話しかけて
テキストを作成できる

　音声認識によるテキスト入力を行う場合は、「システム設定」の「キーボード」→「音声入力」から、音声入力をオンにしておこう。あとは、テキストが入力できる状態で「F5」キーを押せばいい（機種によっては「control」キーを2回押す）。文字入力欄の近くにマイクマークが表示されたら、MacBookに話しかけてみよう。話した内容がそのままテキストとして入力され、リアルタイムに変換されていく。なお、日本語入力システムにGoogleやATOKなどサードパーティ製のものを使っている場合、本機能は使えない。

システム設定で音声入力を有効にする

1 「システム設定」の「キーボード」から音声入力を有効にしておく

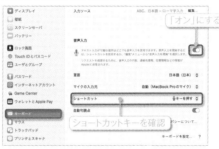

まずは、Appleメニューから「システム設定」を開き、「キーボード」→「音声入力」をオンにする。マイクの入力元や音声入力のショートカットキーも確認しておこう。

2 「有効にする」をクリックして準備完了

確認画面が表示される。音声入力で話した内容がAppleに送信され、テキスト変換されることに了承するなら「有効にする」をクリックしよう。

音声入力でテキストを入力していこう

1 「F5」キーを押すと音声入力が有効になる

文字入力が可能な状態で「F5」キーを押してみよう。マイクマークが表示されれば、音声入力が有効になった状態だ。MacBookに話しかけてみよう。

2 音声入力でテキスト入力していこう

MacBookに話しかけた内容が音声認識され、テキストとして入力される。テキストは自動的に変換されていくので、そのまま話し続けていくだけでOKだ。

3 句読点や記号は音声コマンドで入力する

句読点や記号を入力したい場合は、下表でまとめたような音声コマンドで入力しよう。音声入力を終了したい場合は、「return」キーなどを押せばいい。

4 改行は「かいぎょう」と話しかければOK

改行を入力したい場合は「かいぎょう」と音声コマンドを入力しよう。音声入力時点では改行が入ったように見えないが、入力が終わると改行が反映される。

おもな音声入力用のコマンド

音声コマンド	入力される文字	音声コマンド	入力される文字
まる	。	アットマーク	@
てん	、	かいぎょう	改行
かっこ	（	スラッシュ	/
かっことじ	）	アンド	&
かぎかっこ	「	パーセント	%
かぎかっことじ	」	アンダーバー	_
びっくりマーク	！	シャープ	#
はてな	？	こめじるし	※
さんてんリーダー	…	コロン	:
なかぐろ	・	セミコロン	;

026
Siri

何でも頼める音声アシスタント
Siriの真価を発揮する多彩な利用法

さまざまな用途に使える Siriを使いこなそう

　音声アシスタント機能のSiriは、バージョンアップを重ねてますます賢く便利になっている。情報を調べたりアプリの操作を頼めるのはもちろん、システム設定を素早く開いたり、音量や画面の明るさを1%単位で調節したり、流れている曲の名前を教えてもらうといった、あまり知られていない便利な使い方も多い。ここでは、覚えておくと役立つ音声入力例をまとめて紹介する。MacBookで作業中の手を止めることなくSiriを呼び出せるように、「Hey Siri」とショートカットキーの設定を済ませておこう。

Siriをより使いやすくする設定項目

「Hey Siri」とキーボードショートカットを有効にする

オンにすると「ヘイシリ」と呼びかけてSiriを起動できる

「キーボードショートカット」欄でSiriを起動するショートカットキーを変更できる

「システム設定」→「SiriとSpotlight」の"Hey Siri"を聞き取る」をオンにして自分の声を登録すると、「ヘイシリ」の呼びかけでSiriを起動できる。キーボードショートカットの変更も可能だ。

Siriへの問いかけや返答を文字で表示する

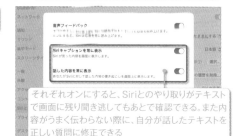

それぞれオンにすると、Siriとのやり取りがテキストで画面に残り聞き逃してもあとで確認できる。また内容がうまく伝わらない際に、自分が話したテキストを正しい質問に修正できる

「Siriの応答」をクリックして、「Siriキャプションを常に表示」をオンにするとSiriが話した内容が、「話した内容を常に表示」をオンにすると自分が話した内容がテキストで表示されるようになる。

Siriに頼める便利な使い方

通知の設定を表示	「○○の設定を表示」と伝えると、該当するシステム設定の画面を素早く呼び出すことができる。
音量を37%にして	「音量を○%にして」や「音量を○%上げて」と頼むと、1%単位で音量を細かく調整できる。
画面の明るさを48%にして	「画面の明るさを○%にして」や「画面の明るさを○%上げて」と頼むと、1%単位で画面の明るさを細かく調整できる。
App Storeを起動	「○○(アプリ名)を起動」でインストール済みアプリを起動できる。標準アプリだけでなく他社製アプリの起動も可能だ。
青山はるかにFaceTime発信	「○○(連絡先の名前)にFaceTime発信」でFaceTime通話を発信できる。宛先が複数ある場合は選択できる。
山本健一の電話番号は?	「○○(連絡先の名前)の電話番号は?」で、連絡先に登録されている電話番号を教えてくれる。
妻にメッセージ	「妻(母や弟など)にメッセージ」で、家族として登録されている連絡先にメッセージを送信できる。
ビッグデータの意味は?	「○○(語句など)の意味は?」と尋ねると、内蔵辞書で調べた内容を読み上げたりWeb検索結果を表示してくれる。
東京駅から東京都庁までの経路は?	「○○から○○(駅名やスポット)までの経路は?」と伝えると、マップアプリでルート案内を表示する。
この後の予定は?	「この後の予定は?」と伝えると、カレンダーに登録されている今後の予定を知らせてくれる。
6月15日14時に会議を追加	「○月○日○時に会議を追加」などと伝えれば、カレンダーアプリのデフォルトカレンダーに予定を追加できる。
19時に実家に電話することをリマインド	「○時に○○とリマインド」で、リマインダーアプリのデフォルトのリストにリマインダーを登録する。
猫の画像を表示	「○○の画像を表示」と伝えるとWebで検索した画像をサムネイル表示する。クイックルックでの拡大表示も可能。
325ドルは何円?	「○ドルは何円?」「○ユーロは何ドル?」で、最新の為替レートで換算してくれる。各種単位換算も得意の物だ。
この曲は何?	「この曲は何?」と話しかけ、MacBookで再生中の曲や外部で流れている曲を聞かせると、その曲名を表示してくれる。
米津玄師のKICK BACKをかけて	「○○(アーティスト名と曲目)をかけて」で曲を再生してくれる。Apple Musicを利用中ならApple Music全体から選曲する。
ロンドンは今何時?	「○○(国名や都市名)は何時?」と聞くと、世界中の都市の現在時刻を確認することができる。
巨人の試合結果は?	「○○(プロ野球やJリーグのチーム名)の試合結果は?」と聞くと、最新の試合結果を詳細とともに教えてくれる。

027

集中モード

シーン別に通知を制御しよう

作業に集中するために
通知などを制限する

指定した時間帯や条件で通知をオフにできる

仕事や勉強に集中している時にメールやSNSの通知で気を散らされたくないなら、「集中モード」を利用しよう。設定した時間帯は通知を自動的にオフにしたり、通知をオフにしている間も特定の連絡先やアプリからの通知は許可するなど、柔軟な設定で通知を制限できる。あらかじめ「おやすみモード」「仕事」「パーソナル」といったシーン別の集中モード設定が用意されているので、これらをタップして自分で使いやすい設定内容に編集しておこう。集中モードは他のデバイスと同期でき、MacBookでオンにすればiPhoneやiPadでもオンになる。

集中モードの設定画面を開く

1 集中モードの編集画面を開く

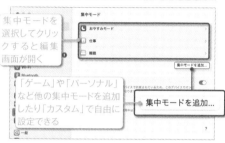

集中モードの設定は「システム設定」→「集中モード」で行う。あらかじめ「おやすみモード」や「仕事」などの集中モードが用意されているので、利用したいものを選択しよう。

2 デバイス間の共有と集中モード状況の共有

「デバイス間で共有」をオンにすると、設定した集中モードがiPhoneやiPadと同期する。集中モード状況をオンにすると、現在集中モード中で通知されない状況を相手に知らせることができる。

集中モードを設定する

1 スケジュールを追加をクリック

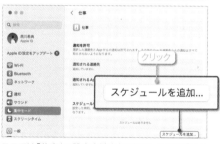

ここでは「仕事」で設定方法を解説する。まずは「スケジュールを追加」をクリックし、集中モードを開始するタイミングを設定しよう。

2 集中モードを開始するスケジュールを設定

集中モードのスケジュールは時刻、場所、Appから選択できる。通常は「時刻」で開始時刻と終了時刻や、有効にする曜日を設定しておけばよい。

3 通知を許可する連絡先を指定する

「着信を許可」項目を「通知される連絡先のみ」にすると選択した連絡先からのFaceTimeや電話着信のみ許可する。「繰り返しの着信を許可」をオンにすると同じ人から3分以内に2度目の着信があったときに通知する

「通知を許可」欄の「通知される連絡先」をクリックすると、集中モードがオンの状態でも、例外的に通知を許可する連絡先を設定できる。

4 通知を許可するアプリを指定する

オンにすると、通知を許可するアプリに追加していなくても、「システム設定」→「通知」で「即時通知を許可」をオンにしているアプリからの通知は許可する。

「通知を許可」欄の「通知されるApp」をクリックすると、集中モードがオンの状態でも、例外的に通知を許可するアプリを設定できる。

5 集中モード中のアプリの動作をカスタマイズ

この集中モード中に、Safariで使用するタブグループを選択したり、メールアプリで表示するアカウントを指定することができる

「集中モードフィルタ」欄の「フィルタを追加」をクリックすると、集中モードがオンの状態でのSafariやカレンダー、メール、メッセージなどの動作を設定できる。

6 集中モードを手動で切り替える

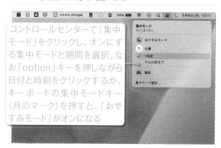

コントロールセンターで「集中モード」をクリックし、オンにする集中モードと期間を選択。なお「option」キーを押しながら日付と時刻をクリックするか、キーボードの集中モードキー（月のマーク）を押すと、「おやすみモード」がオンになる

集中モードは設定したスケジュールに従って自動で開始されるほかに、コントロールセンターから手動でオン／オフを切り替えることもできる。

macOSをもっと使いこなす便利技 | 067

アカウント

同じMacBookを複数のユーザで使用する
MacBookを
家族と共用する

それぞれのユーザが
独自の環境で使える

　MacBookを家族共用のパソコンとして使うなら、「システム設定」→「ユーザとグループ」画面で、家族用の新しいアカウントを追加しておこう。それぞれのユーザでApple IDなどを設定し、独自の環境と設定でMacBookを利用できる。追加した家族アカウントの種類を「管理者」ではなく「通常」にしておけば、ほかのユーザの設定を変更したり新たにユーザを追加することはできない。同じMacBookを使うユーザ同士でファイルをやり取りしたい時は、「ユーザ」フォルダに用意されている「共有」フォルダを利用しよう。

ファストユーザスイッチ
で素早く切り替える

　「システム設定」→「コントロールセンター」を開き「ファストユーザスイッチ」の「メニューバーに表示」や「コントロールセンターに表示」を有効にしておくと、メニューバーやコントロールセンターのアイコンから、ログアウトせずに他のユーザに素早く切り替えできる。

MacBookを使う他のユーザを追加する

1 ユーザとグループで
アカウントを追加

「システム設定」→「ユーザとグループ」でMacBookの使用ユーザが一覧表示される。新しいユーザを追加するには「アカウントを追加」をクリック。

2 名前などを入力して
新規ユーザを作成

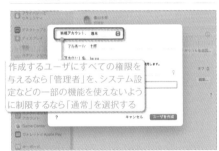

作成するユーザにすべての権限を与えるなら「管理者」を、システム設定などの一部の機能を使えないように制限するなら「通常」を選択する

「新規アカウント」でアカウントの権限を選択し、名前やフルネーム(ホームフォルダ名)、パスワードを入力したら「ユーザを作成」をクリック。

3 作成したユーザに
切り替える

一度ログアウトしてMacBookのログイン画面を開くと、作成したユーザが追加されているので、クリックしてログインしよう。

4 初期設定を
進めていく

作成したユーザの初回ログイン時は初期設定画面が表示される。Apple IDのサインインなどを済ませて設定が完了するとデスクトップが表示される。

ユーザ同士でファイルをやり取りする

1 共有フォルダを
利用する

他のユーザとファイルをやり取りしたい時は「共有」フォルダを利用しよう。すべてのユーザがファイルを作成したりコピーして取り出せる。

2 フォルダのアクセス
権限を設定する

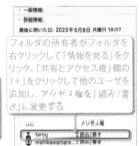

フォルダの所有者がフォルダを右クリックして「情報を見る」をクリック。「共有とアクセス権」欄の「+」をクリックして他のユーザを追加し、アクセス権を「読み/書き」に変更する

他のユーザが作成したフォルダ内に管理者以外のユーザがファイルを作成することはできないが、アクセス権を与えておけば作成も読み出しもできるようになる。

ドロップボックス
フォルダの使い方

　「移動」→「Macintosh HD」・「ユーザ」で各ユーザのホームフォルダを開くと、「パブリック」フォルダのみ他のユーザからアクセスできる。このフォルダでファイルをやり取りすることも可能だ。またパブリックフォルダ内にある「ドロップボックス」フォルダは、他のユーザがファイルを入れることはできるが開くことはできないフォルダになっている。「共有」や「パブリック」フォルダのファイルは全員が閲覧できるので、他のユーザに見られたくないファイルを受け渡すときに利用しよう。なお、この「ドロップボックス」フォルダは、クラウドサービスの「Dropbox」とは関係ないので混同しないようにしよう。

標準アプリの活用テクニック

なにげなく使っている標準アプリも、搭載する細かな機能や
設定をしっかりチェックすることで使い勝手が大きく向上する。
特にSafariやメール、ミュージックといった
アプリを使っているユーザーには新たな発見があるはずだ。

029
Safari

標準Webブラウザの踏み込んだ操作法をマスター

Safariの活用テクニック

1 タブグループを他のユーザーと共有する

複数のメンバーで同じタブを閲覧できる

Safariには、タブを目的やカテゴリ別にグループ分けできる「タブグループ」機能が搭載されている。このタブグループは、他のユーザーと共有して、同じタブを閲覧・編集することも可能だ。例えば、一緒に旅行に行く友人と旅先の情報収集を共同で行ったり、複数の参考用Webサイトを仕事仲間と同時にチェックしたい際などに活用しよう。

1 共有したい相手に参加依頼を送る

サイドバーで共有したいタブグループを右クリックして「タブグループを共有」をクリック。「メッセージ」で共有したい相手に参加依頼を送る。

2 共有タブグループを管理する

メンバーは誰でもタブの追加や削除ができる。タブグループ画面上部のユーザーボタンから「共有タブグループを管理」でユーザーの追加などが可能だ。

2 SafariとChromeでブックマークを同期する

WindowsのChromeを経由して自動同期

MacBookでSafariとChromeを使い分けつつ同じブックマークを利用したいときは、MacBook上のSafariとChrome間で直接ブックマークを同期できないため、基本的にどちらかのブックマークを手動でインポートする必要がある。ただWindowsパソコンがあるなら、WindowsのChromeを経由して、SafariとChromeのブックマークを自動的に同期させることが可能だ。まずWindowsに「Windows用iCloud」とChromeの拡張機能「iCloudブックマーク」をインストールし、同期設定を済ませよう。これで、MacBookのSafariとWindowsのChromeのブックマークが自動同期するようになる。あとはWindowsのChromeとMacBookのChromeで同じGoogleアカウントでログインしておけば、それぞれのブックマークが同期するので、結果的にMacBook上のChromeとSafariのブックマークも自動同期するようになる。

Windows用iCloud
作者／Apple
価格／無料
入手先／https://support.apple.com/ja-jp/HT204283

1 Windows用iCloudをインストールする

「Windows用iCloud」をインストールし、MacBookと同じApple IDでサインイン。設定画面を開き「ブックマーク」にチェックして適用し、Google Chromeの「拡張機能をインストール」をクリックする。

2 Chromeに拡張機能を追加する

「ダウンロード」をクリックすると、Chromeウェブストアが開き「iCloudブックマーク」拡張機能の画面が表示されるので、「Chromeに追加」をクリックしてChromeに追加しよう。

3 ChromeとSafariのブックマークが同期する

Chromeで拡張機能のボタンをクリックし、iCloudと同期中のメッセージが表示されていれば、あとは特に設定不要でWindowsのChromeのブックマークがSafariに同期される。

4 WindowsとMacのChromeを同期する

WindowsのChromeとMacのChromeで、それぞれ同じGoogleアカウントでログインしブックマークを同期していれば、MacのChromeとSafari間でもブックマークが同期する。

❸ Safariでページ全体のスクリーンショットを撮影する

PDFとして書き出すと全体を保存できる

　Safariで開いたWebページのスクリーンショットを撮影したい場合、普通に「shift」＋「command」＋「4」キーを押してSafariの画面を選択し撮影しても、表示中の画面しか保存できない。縦に長いWebページの全体を保存したいときは、「ファイル」→「PDFとして書き出す」をクリックしよう。見えない部分を含めたWebページ全体をPDFファイルとして保存できる。

1 PDFとして書き出す

スクリーンショットを撮影したいWebページを開き、「ファイル」→「PDFとして書き出す」をクリック。適当な場所に保存しよう。

2 ページ全体がPDFとして保存される

保存したPDFファイルを開いてみよう。縦に長いWebページの全体が表示されるはずだ。

❹ 文字を選択できないサイトの文章をコピーする

プレビューのテキスト認識表示を利用する

　歌詞検索サイトなど一部のWebサイトは、著作権保護などのためテキストのコピーを禁止しているが、個人的なメモや引用のためにWebサイト内のテキストをコピーしたい場合もあるだろう。そんなときは、Webページのスクリーンショットを撮影して「プレビュー」や「写真」アプリで開こう。テキスト認識表示機能により、画像内のテキストを選択してコピーできる。

1 コピー不可のWebサイトをスクショする

コピー不可のWebサイトを開いたら、「shift」＋「command」＋「4」キーなどで画面のスクリーンショットを撮影し画像として保存しよう。

2 画像内のテキストをコピーする

保存したスクリーンショットをプレビューや写真アプリで開くと、画像内のテキストをドラッグして選択しコピーできるはずだ。

❺ Safariのおすすめ機能拡張

　Safariでは、さまざまな「機能拡張」アプリをインストールすることで、標準では用意されていない機能を追加できるようになっている。Safariの使い勝手や見た目を変更するほかに、外部サービスと連携するための機能拡張もあるので、欲しい機能を探してみよう。まずは「Safari」→「Safari機能拡張」を選択し、App Storeから好きな機能拡張を入手する。インストールした拡張機能は、「Safari」→「設定」→「機能拡張」タブで機能のオン／オフの切り替えが可能だ。

拡張機能を有効にするには

機能拡張をインストールしただけでは使えない。「Safari」→「設定」→「機能拡張」を開き、使いたい機能拡張にチェックして有効にしておこう。

気になるWebページをあとで読む

Save to Pocket
作者／Read It Later, Inc
価格／無料
入手先／App Store

気になるWebページをあとで読めるように保存しておけるWebサービス「Pocket」の機能拡張。ツールバーのボタンをクリックするだけで保存できるようになる。

Safariの広告表示をまとめてブロック

AdGuard for Safari
作者／Adguard Software Limited
価格／無料
入手先／App Store

表示中のWebページから広告を除去してくれる広告ブロッカー。Safari専用に最適化されたフィルタが適用される。

Safariで手軽にDeepL翻訳を利用する

Web Translator for DeepL
作者／Katsumi Kishikawa
価格／無料
入手先／App Store

自然な訳文の「DeepL翻訳」が使える機能拡張。テキストを選択して「command」＋「shift」＋「Y」キーで翻訳する。ページ全体の翻訳はDeepL Proが必要。

030

メール

さまざまな便利機能でより柔軟にメールを扱える
メールアプリの活用テクニック

---

1 設定したルールに沿ってメールを自動管理する

メールを自動で
振り分ける

メールアプリで「ルール」を設定しておくと、指定した条件に合致するメールを他のメールボックスに移動したり、削除やフラグを付けるといった操作を自動的に行える。メール自体を振り分けるので、あまり重要でないメルマガなどを専用のメールボックスに自動で移動するようにして、受信トレイをスッキリさせたい場合などに利用するといい。

**1 ルールを追加
をクリック**

メニューバーから「メール」→「設定」→「ルール」画面を開き、「ルールを追加」をクリックする。

**2 条件と操作を指定
してルールを作成**

右端の「＋」をクリックすると新しい条件や操作を追加できる

メールを自動で振り分ける条件と、条件に合致するメールをどのように操作するかを指定して「OK」をクリックすればルールが作成される。

---

2 条件に合ったメールをひとつのメールボックスにまとめる

条件に合うメール
のみ表示させる

メール自体は元の場所に残したままで、条件に合うメールだけを抽出し一箇所で確認したいときは、記事1の「ルール」ではなく「スマートメールボックス」を利用しよう。たとえば「打ち合わせ」や「請求書」といったテキストが含まれるメールを一覧したい場合などにおすすめだ。余計なメールが含まれないように、差出人など複数の条件をしっかり指定しておこう。

**1 スマートメール
ボックスを作成する**

クリック。メニューバーの「メッセージボックス」→「新規スマートメールボックス」をクリックしてもよい

サイドバーの「スマートボックス」欄にスマートメールボックスが表示される。新規作成するにはポインタを合わせて「＋」をクリック。

**2 条件を指定して
保存する**

右端の「＋」をクリックすると新しい条件を追加できる。なお、スマートメールボックスを削除しても中のメールは消えず、元の受信トレイに残っている

メッセージに「打ち合わせ」を含む「差出人がVIP」のメールなど、複数の条件を指定しておけば、その条件に合うメールのみが表示される。

---

3 メールの送信を取り消す

10秒～30秒の間なら
送信を取り消せる

メールを送信してもしばらくは、サイドバーの一番下に「送信を取り消す」ボタンが表示され、これをクリックすると送信をキャンセルできる。この「送信を取り消す」が表示される時間は、メニューバーの「メール」→「設定」→「作成」画面にある「送信を取り消すまでの時間」で変更可能だ。10秒／20秒／30秒から選択できるほか、送信取消機能をオフにすることもできる。

**1 取り消せる時間を
設定しておく**

送信を取り消すまでの時間を10秒／30秒から選択する

メニューバーの「メール」→「設定」→「作成」画面を開き、「送信を取り消すまでの時間」で取り消せる時間を10秒～30秒から選択しておく。

**2 「送信を取り消す」
で送信取り消し**

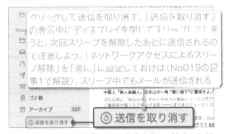

クリックして送信を取り消す。「送信を取り消す」の表示中にディスプレイを閉じてスリープしてしまうと、次回スリープを解除したあとに送信されるので注意しよう。「ネットワークアクセスによるスリープ解除」を「常に」に設定しておけば（No019の記事1で解説）、スリープ中でもメールが送信される

メールを送信して10秒～30秒（手順1で設定した時間）以内に、サイドバーの下部にある「送信を取り消す」をクリックすれば送信を取り消しできる。

4 忘れず返信したいメールをリマインドする

指定した日時に
再通知してくれる

新着メールを今すぐ読んだり返信する時間がないときは、あとで忘れず確認できるようにリマインダーを設定しておこう。メールを2本指で右にスワイプし「リマインダー」をクリックするか、メールを右クリックして「リマインダー」を選択。続けて「1時間後にリマインダー」や「今夜リマインダー」（今日の午後9時）、「明日リマインダー」（翌日の午前8時）を選択したり、「あとでリマインダー」を選べば自由な日時を指定することもできる。指定した日時になると、あらためて通知が届き（通知を有効にしている場合）、そのメールが受信トレイの一番上に再度表示される。あたかも新着メールのように再表示されるので、対応し忘れることを防止できるというわけだ。また、リマインダーを設定したメールは、サイドバーの「リマインダー」メールボックスに表示され、「編集」ボタンでスケジュールを設定し直したり、リマインダーを解除することが可能だ。

**1 リマインダーを
クリックする**

2本指で右にスワイプし「リマインダー」をクリック。右クリックして「リマインダー」を選択してもよい

メールを2本指で右にスワイプし「リマインダー」をクリックし、「1時間後にリマインダー」などリマインドしてほしいタイミングを選択しよう。

**2 リマインドしてほしい日時
を自分で指定する**

「あとでリマインダー」で好きな日時を設定し「スケジュールを設定」をクリック

「あとでリマインダー」で日時を自由に指定できる。指定した日時になると、そのメールが受信トレイの一番上に再表示され、バナーなどで通知を設定していれば通知もあらためて届く。

○POINT

**リマインダーを
編集、削除する**

サイドバーの「リマインダー」メールボックスでリマインダーを設定したメールを開くと、右上に「編集」ボタンが用意されている。これをクリックするとスケジュール設定画面が表示され、リマインダーの日時を変更したり、「リマインダーを削除」をクリックしてリマインダーの削除が可能だ。

---

5 用意したメールを指定した日時に送信する

必要なタイミングで
メールを送信する

期日が近づいたイベントの確認メールを前日に送ったり、深夜に作成したメールを翌朝になってから送りたい時に便利なのが、メールアプリの予約送信機能だ。メールを作成したら、送信ボタン横の「∨」をクリックし、表示されるメニューでこのメールを送信する日時を指定できる。サイドバーの「あとで送信」メールボックスで、予約送信メールの確認や編集が可能だ。

**1 送信ボタン横の
メニューを開く**

「∨」をクリック

送信ボタン横の「∨」をクリックすると「今夜21:00に送信」などの送信タイミングを選択できる。自分で自由に日時を指定したいなら「あとで送信」をクリック。

**2 あとで送信する日時
を自分で指定する**

「あとで送信」て好きな日時を設定し「スケジュールを設定」をクリック。スリープ中でも指定日時にメールが送信される。電源オフだと送信されず次回起動時にオンラインになった時に送信される。「ネットワークアクセスによるスリープ解除」（No019の記事1で解説）の設定は影響しない

「あとで送信」で日時を自由に指定できる。送信予約したメールは「あとで送信」メールボックスに保存され、指定した日時に送信される。

---

6 メールの本文内をキーワード検索する

開いているメールの
本文のみを検索する

メールアプリのツールバー右上にある虫眼鏡ボタンは、メールボックス内の複数のメールを対象にした検索機能だ。選択した一通のメールの本文だけを検索対象にしたいときは、検索したいメールを開いた状態で「command」＋「F」キーを押そう。メール本文上部に検索欄が表示され、キーワードを入力すると、現在開いているメール本文内のみをキーワード検索できる。

**1 メール本文内の
検索欄を開く**

short
cut   ⌘ command + F

メール本文上部に検索欄が表示される

本文内を検索したいメールを開いた状態で「command」＋「F」キーを押すと、メール本文の上部に検索欄が表示される。

**2 開いている本文だけを
キーワード検索**

現在開いているメール本文を検索できる

表示された検索欄にキーワードを入力すると、現在開いているメール本文内のみを対象にしてキーワード検索することが可能だ。

7　特定の連絡先リストにメールを一斉送信する

リスト内のメンバーに同じ文面を送信

　連絡先アプリでは、複数の連絡先を「リスト」としてグループ分けできる。このリストを作成しておくと、リスト内のすべての連絡先に対して、メールを一斉送信することが可能だ。仕事先やサークルのメンバー、イベントの関係者など、複数の人に同じ文面のメールを送りたい時に活用しよう。指定した条件に合う連絡先を自動でリストにまとめた「スマートリスト」（No035の記事4で解説）の連絡先にメールを一斉送信することもできる。リスト内のメンバーに一斉送信するには、連絡先アプリでリストを右クリックし、「"○○"にメールを送信」をクリックすればよい。リストの連絡先が宛先に追加された状態で新規メールの作成画面が開く。または、メールアプリで新規メールを作成し、宛先欄にリスト名を入力して候補から選択してもよい。同様に選択したリストの連絡先がすべて宛先に追加される。

1　連絡先アプリでリストを右クリック

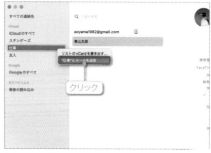

あらかじめ連絡先アプリでリストを作成して連絡先を登録しておいたら、リストを右クリックして"○○"にメールを送信」をクリックする。

2　リスト内のメンバー全員に一斉送信

リスト内の連絡先がすべて宛先に追加される

リスト内の連絡先が全員宛先に追加された状態で、新規メールの作成画面が開く。あとはメールを作成して送信ボタンをクリックすれば一斉送信ができる。

POINT

連絡先リストを作成する

連絡先アプリでサイドバーのアカウントにポインタを合わせ「＋」をクリック。「仕事」「プライベート」などのリストを作成し、連絡先をドラッグ＆ドロップして追加しておこう。

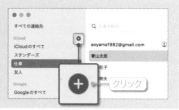

8　件名でまとめられるスレッド表示を無効にする

メールを新着順に1通ずつ表示させる

　メールは標準の設定だと、同じ件名でやりとりした一連のメールが「スレッド」としてまとめて表示されるようになっている。会話の流れを把握しやすい便利な機能だが、複数回やり取りしたメールがひとつの件名でまとめて表示されるため、メールを見逃しやすいデメリットもある。新着順に1通ずつメールを表示したい場合は、スレッド表示をオフにしておこう。

1　標準ではスレッドで表示される

スレッドを開くと返信メールがまとめて表示される

標準設定では会話の流れが分かりやすいように、同じ件名でやりとりした一連のメールがスレッドとしてまとめて表示されるようになっている。

2　スレッド表示をオフにする

チェックを外す

スレッドにまとめる

やり取りをまとめて表示せず、新着順に1通ずつ表示させたい場合は、メニューバーの「表示」→「スレッドにまとめる」のチェックを外そう。

9　メールの添付ファイルだけを削除する

添付ファイルの削除でストレージ容量を節約

　MacBookのストレージ容量を圧迫する要因として、意外と見落としがちなのがメールの添付ファイルだ。文書や画像、PDFなどが添付された古いメールが残ったままだと、積もり積もってメールだけで結構なファイルサイズになるので、不要な添付ファイルは削除して容量を節約しておきたい。メール自体は残しておきたい場合は、添付ファイルのみを削除できるようになっている。

1　添付ファイル付きメールを探す

フィルタボタンをクリックして有効にし、長押しして「添付ファイル付きメールのみ」にチェック

まずは添付ファイル付きメールを探そう。フィルタ機能で「添付ファイル付きメールのみ」にチェックすれば、添付ファイル付きメールのみが抽出される。

2　添付ファイルのみを削除する

クリック。複数のメールを選択してまとめて削除することもできる

添付ファイルを削除

添付ファイル付きメールを選択したら、メニューバーの「メッセージ」→「添付ファイルを削除」でメールを残して添付ファイルのみ削除できる。

10 強力な迷惑メールフィルタを追加する

SpamSieveを利用しよう

　スパムメールが大量に届くようなら、「SpamSieve」を導入してみよう。メールアプリのプラグインとして動作する迷惑メールフィルタで、インストールして設定を済ませ、いくつか正常なメールとスパムメールを学習させておけば、スパムメールを判断して自動的に迷惑メールフォルダに振り分けてくれる。30日間は無料で試用できるので、まずは動作をテストしてみよう。

1 メールのルールを設定する

SpamSieve
作者／株式会社インフィニシス
価格／2,480円
入手先／https://www.infinisys.co.jp/product/spamsieve/

SpamSieveのインストールを済ませたら、マニュアルに従いメールアプリの「メール」→「設定」→「ルール」で迷惑メールの振り分けを設定しておく。

2 迷惑メールと正常メールを学習させる

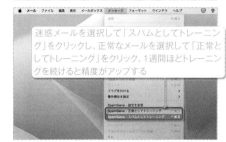

迷惑メールを選択して「スパムとしてトレーニング」をクリックし、正常なメールを選択して「正常としてトレーニング」をクリック。1週間ほどトレーニングを続けると精度がアップする

メールアプリの「メッセージ」メニューから「SpamSieve - スパムとしてトレーニング」と「SpamSieve - 正常としてトレーニング」を学習させよう。

11 メールをファイルに書き出してバックアップ

mbox形式で書き出して保存する

　メールアプリの重要なメールは、特定のメールボックスに振り分けて「メールボックスを書き出す」でバックアップしておくのが安心だ。保存したmbox形式のメールは「ファイル」→「メールボックスを読み込む」から復元できるほか、他の一般的なメールアプリにもインポートできる。iCloudメールも古いものはmbox形式で保存し、メールを削除してしまえばiCloud容量の節約になる。

1 メールボックスを書き出す

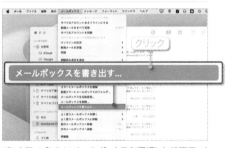

バックアップしたいメールボックスを選択した状態で、メニューバーの「メールボックス」→「メールボックスを書き出す」をクリック。

2 保存先を指定してmbox形式で保存

保存先を指定して保存しよう。書き出したメールはmbox形式で保存されており、一般的なメールアプリなら読み込んで復元できる。

12 チェックしたいその他のメール操作&設定

　他にも、メールアプリで覚えておくと便利な操作や設定をまとめて紹介する。まず、大量に溜まった未読メールをまとめて開封済みにしたい場合は、「全受信」などの受信トレイを右クリックし、「すべてのメッセージを開封済みにする」をクリックすればよい。未読メールが多いと必要なメールが埋もれがちで新着メールも分かりづらいので、未開封メールは常にゼロにするように心がけたい。また、テキストの一部だけを引用マーク付きで本文にペーストしたい場合は、引用したいテキストをコピーした上でメールの作成画面を開き、「shift」+「command」+「V」キーを押す。

メニューバーの「編集」→「引用としてペースト」をクリックしてもよい。受信したメールが自分だけに宛てた「TO」メールか、複数人にまとめて送信された「CC」メールかを見分けやすくするには、メニューバーの「表示」→「TO/CCラベルを表示」にチェックしておこう。

未読メールをまとめて開封する

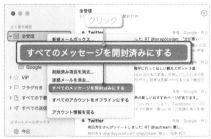

「全受信」などの受信トレイを右クリックし、「すべてのメッセージを開封済みにする」をクリックすると、すべての未読絵メールをまとめて開封できる。

テキストを引用マーク付きでペースト

メールの作成画面を開いて「shift」+「command」+「V」キーを押すと、コピーしたテキストを引用マーク付きでペーストできる。

受信メールがCCだと分かるようにする

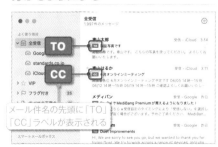

メニューバーの「表示」→「TO/CCラベルを表示」にチェックしておくと、受信したメールの宛先が「TO」か「じじ」かラベルで判断できる。

031

ミュージック

音楽をもっと快適に楽しむための操作法

ミュージックとApple Musicの隠れた便利機能

---

1 特定の曲をシャッフル再生時に除外する

イントロ曲などをシャッフル再生させない

ミュージックアプリで曲をシャッフル再生していると、あまり好みでない曲が流れたり、アルバムの1曲目に入っているような短いイントロ曲が流れることがある。このような曲をシャッフル再生したくない場合は、曲を右クリックして「情報を見る」→「オプション」→「シャッフル時にスキップする」にチェックしておこう。その曲をシャッフル再生の対象から外せる。

1 右クリックから情報を見るを選択

シャッフル再生時に聞きたくないイントロ曲などは除外設定しておこう。まず曲を右クリックして「情報を見る」をクリック。

2 シャッフル時にスキップする

曲の情報画面が開くので、「オプション」タブにある「シャッフル時にスキップする」にチェックしておこう。これでシャッフル再生されなくなる。

---

2 Genius機能で似たテイストの曲を自動再生させる

再生リストはGeniusにおまかせ

ミュージックアプリでは、ライブラリから同じテイストの曲を選んで再生してくれる「Genius」機能を利用できる。ミュージックが1曲を選んでそれと同じテイストの曲を自動的にシャッフル再生する「Geniusシャッフル」と、ユーザーが1曲を選んでそれと同じテイストの曲のプレイリストを作成する「Geniusプレイリスト」の、2つの利用方法がある。

1 Geniusシャッフルを利用する

メニューバーの「コントロール」→「Geniusシャッフル」を選択すると、ミュージックが再生する曲を選び、その曲と似た曲をシャッフル再生する。

2 Geniusプレイリストを利用する

好きな曲を選択し、メニューバーの「ファイル」→「新規」→「Geniusプレイリスト」をクリック。選んだ曲に似た曲のプレイリストが作成される。

---

3 それぞれの曲の作曲者を確認する

好きな曲の詳細情報をチェック

好きな曲の作曲者情報を調べたいときは、曲を右クリックして「情報を見る」をクリックしよう。曲を選択した状態で「command」＋「I」キーを押してもよい。Apple Musicなどのタグ情報が含まれた曲であれば、「詳細」タブの「作曲者」欄に作曲者名が表示されている。この画面では他にも、アルバムの発表年度やトラック番号などの情報を確認できる。

1 情報を見るをクリックする

作曲者など曲の詳細情報を調べたいときは、曲を右クリックして「情報を見る」をクリックしよう。

2 作曲者などの詳細情報を確認

タグ情報が含まれている曲であれば、「詳細」タブの「作曲者」欄で作曲者を確認できる。

---

4 発売前のアルバムもライブラリに登録しておこう

配信時に自動で
ライブラリに追加

Apple Musicには、今後リリースされる新作もあらかじめ登録されていることが多い。好きなアーティストの新作情報が解禁されたら、検索して「＋追加」ボタンをクリックしライブラリに追加しておこう。先行配信されている曲はすぐに再生できるほか、リリース日になると通知が届き、残りの曲も自動的にライブラリに追加され、「最近追加した項目」の一番上に表示される。

1 「まもなくリリース」をチェック

新作は自分で検索するほかにも、「見つける」画面にある「まもなくリリース」をクリックすれば近日配信予定の注目作品をチェックできる。

2 ライブラリに先行追加しておく

配信日に必ず聴きたいアルバムは、「＋追加」ボタンでライブラリに先行追加しておこう。すでに先行配信曲があればクリックして再生が可能だ。

---

5 Apple Musicのおすすめの精度を上げる

「ラブ」を付けた曲に
似た曲が提案される

好みの曲には「ラブ」を付けておき、あまり好みでない曲は「好きじゃない」を選択しておこう。「今すぐ聴く」画面で「ラブ」を付けた曲に似たジャンルやアーティストが提案されるようになり、おすすめ曲の精度がアップする。なお、「ラブ」以外にも曲を5段階の星印で評価できる機能があるが、この星印は「今すぐ聴く」のおすすめには影響しない。

1 ラブ機能で好みの曲を学習させる

曲やアルバムを右クリックして「ラブ」や「好きじゃない」を選択すると、好みの楽曲を学習して「今すぐ聴く」の精度が上がる。

2 星印で個人的な評価を付ける

メニューバーの「ミュージック」→「設定」→「一般」で「星印の評価」にチェックすると、アルバムや曲に対して星印で5段階評価できる。

---

6 Apple Musicを使わずiCloudミュージックライブラリを利用する

iTunes Matchを
契約しよう

「Apple Music」に登録すると約1億曲が聴き放題になるだけでなく、MacBookで音楽CDなどから取り込んだ手持ちの曲を最大10万曲までクラウドにアップして、同じApple IDのデバイスでいつでも再生できる「iCloudミュージックライブラリ」という機能も利用できる。このiCloudミュージックライブラリが必要なだけでApple Musicの定額聴き放題サービスは不要なら、「iTunes Match」というサービスも用意されているので、自分の使い方に合ったほうを選ぼう。Apple Musicの場合はサービスを解約するとiPhoneやiPadにダウンロード済みの曲も再生できなくなるのに対し、iTunes Matchはサービスを解約したあとでもiPhoneやiPadにダウンロード済みの曲はそのまま残り再生できる点がメリットだ。iTunes Matchの料金は年額3,980円となっている。

1 iTunes Storeで iTunes Matchをクリック

iTunes Matchに登録するには、ミュージックアプリのサイドバーで「iTunes Store」を開き、下の方にある「iTunes Match」をクリックしよう。

2 iTunes Matchを契約する

「年間登録料￥3,980で更新」で登録し、もう一度同じ画面を開いて「このコンピュータを追加」をクリック。ライブラリをアップロードしておこう。

POINT

iTunes Store が表示されない場合は

サイドバーに「iTunes Store」が表示されない場合は、メニューバーの「ミュージック」→「設定」→「一般」で「iTunes Store」にチェックする。

032

ショートカット

ショートカットを使いこなして作業効率をアップ

ショートカットアプリでよく行う面倒な操作を自動化する

■ 複数の工程をワンクリックで実行

標準で用意されている「ショートカット」アプリは、よく使うアプリの操作やmacOSの機能など、複数の処理を連続して自動実行させるためのアプリだ。実行させたい処理をショートカットとして登録しておけば、メニューバーから実行したり、Siriにショートカット名を伝えて実行できる。まずは「ギャラリー」に並んでいるショートカットから、自分で使いたいものを探して登録するのがおすすめだ。一から自分で作成しなくても、いくつかの設定を済ませるだけで、便利なショートカットを利用できるようになっている。

ギャラリーからショートカットを追加する

1 ギャラリーから使いたいショートカットを選択

Launchpadの「その他」からショートカットアプリを起動し、「ギャラリー」から利用したいショートカットを探してクリックする。

2 ショートカットを追加して設定を済ませる

たとえば「気が散るのを防ぐ」ショートカットでは、「ショートカットを追加」をクリックして仕事で使うアプリのみ選択しておく

ショートカットの説明を確認し、「ショートカットを追加」をクリックしよう。ショートカットの内容によっては追加の設定が必要となる。

3 追加したショートカットの確認と実行

再生ボタンをクリックして実行。ダブルクリックして詳細を開くと自動実行の内容を確認できる。「気が散るのを防ぐ」では、指定したアプリ以外がすべて終了し「おやすみモード」もオンになる

サイドバーの「すべてのショートカット」にショートカットが追加されている。ポインタを合わせて再生ボタンをクリックすると実行できる。

4 ショートカットをメニューバーに表示

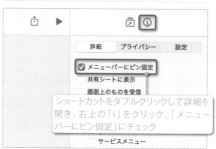

ショートカットをダブルクリックして詳細を開き、右上の「i」をクリック。「メニューバーにピン固定」にチェック

どの画面からも素早くショートカットを実行できるように、メニューバーにショートカットボタンを表示させておくのがおすすめだ。

5 メニューバーからショートカットを実行

クリックして実行

メニューバーのショートカットボタンをクリックすると、「メニューバーにピン固定」にチェックしたショートカットを実行できる。

自分でオリジナルのショートカットを作成する

1 ショートカットを新規作成する

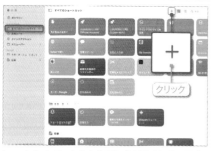

クリック

ショートカットを一から自分で作成するには、サイドバーで「すべてのショートカット」を開き、上部の「+」ボタンをクリック。

2 必要なアクションを追加する

画面右側の「App」タブで「写真」→「最新のスクリーンショットを取得」をダブルクリックしてアクションを追加する

たとえば写真アプリの最新のスクリーンショットをリサイズして保存したい場合は、まず「最新のスクリーンショットを取得」アクションを追加する。

3 他のアクションも追加して動作をテストする

「カテゴリ」タブの「候補」から、「イメージのサイズを変更」と「ファイルを保存」を追加。名前を付けてアイコンも分かりやすいものに変更しておこう

続けて「イメージのサイズを変更」と「ファイルを保存」アクションを追加し、それぞれの設定を済ませれば完成。再生ボタンで動作をテストしよう。

033
カレンダー

年間の予定なども一気に登録できる
カレンダーの予定をスプレッドシートで効率的に入力する

Googleカレンダー経由でcsvをインポートしよう

カレンダーアプリで定期的な予定を入力する際は、同じ予定なら繰り返しを設定すればよいが、開始時間や終了時間、場所などが毎回異なる場合はひとつずつ修正する必要があり面倒だ。そんなときは、Excel（NumbersやGoogleスプレッドシートでもよい）で予定をまとめて作成し、csv形式で保存してカレンダーに取り込むと効率的だ。ただし、Excelで予定を作成する際はカレンダーにインポート可能な書式で入力する必要がある。また、標準カレンダーアプリはcsv形式を直接インポートできないので、一度Googleカレンダーにインポートし、Googleカレンダーを標準カレンダーと同期させよう。

Excelで予定を作成してカレンダーに登録する

1 Excelで予定のヘッダーを入力する

最初の行に「Subject」と「Start Date」は入力必須。他のヘッダーは省略してもよい

まずはExcelで右の書式に合わせてスケジュールを作成する。最初の行に「Subject」や「Start Date」などヘッダーを英語で入力しよう。

POINT
カレンダー用の入力書式

書式	項目	入力例
Subject	タイトル	出勤
Start Date	予定の開始日	04/30/2023
Start Time	予定の開始時間	10:00 AM
End Date	予定の終了日	04/30/2023
End Time	予定の終了時間	3:00 PM
All Day Event	終日	「True」（終日）か「False」（終日でない）を入力
Location	予定の場所	四谷三栄町12-4
Private	限定公開	「True」（限定公開）か「False」（限定公開でない）を入力
Description	メモ	予定についてのメモを入力

※SubjectとStart Dateの入力は必須

2 ヘッダー下の各行に予定内容を入力

日付と時刻は日本語を認識しない。予定の開始日や終了日は月/日/年の数字で入力。開始時間や終了時間は24時間表記か末尾に半角開けて「AM」「PM」を入力する。終日の予定が混在しても問題ない

「Subject」の行にタイトルを入力し、「Start Date」の行には予定の開始日を入力するなど、それぞれのヘッダーに合わせて予定内容を入力していく。

3 csv形式のUTF-8で保存する

ファイル形式: CSV UTF-8 (コンマ区切り) (.csv)

文字コードはUTF-8にしておかないと文字化けするので注意

予定を作成したら、ファイル形式を「CSV UTF-8（コンマ区切り）」にして、適当な場所に保存しておく。

4 Googleカレンダーでcsvファイルを読み込む

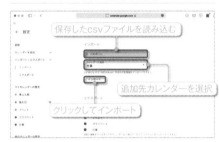

保存したcsvファイルを読み込む

追加先カレンダーを選択

クリックしてインポート

SafariでGoogleカレンダーにアクセスし、歯車ボタンから設定を開く。続けて左欄で「インポート／エクスポート」を開き、作成したcsvファイルと追加先のカレンダーを選択したら、「インポート」をクリックする。

5 Googleカレンダーにインポートされた

インポートした予定を確認。なお、まとめてインポートした予定をまとめて削除することはできないので、csvファイルの内容に間違いがないか十分確認しよう

Googleカレンダーを確認してみよう。Excelで作成したcsvファイルの予定が反映されているはずだ。

6 標準カレンダーと同期する

「+」→「Google」を選択してGoogleアカウントを追加する

MacBookでカレンダーアプリを起動し、「カレンダー」→「設定」→「アカウント」でGoogleカレンダーを追加して同期させよう。

7 標準カレンダーでも予定が反映される

Googleカレンダーと同期させておけば、標準カレンダーにもExcelで作成した予定が反映されているはずだ。

034
SharePlay

Apple MusicやApple TVで利用できる
友人と音楽や映画を
一緒に楽しむ

まずはSharePlayの利用条件を確認しよう

　MacBookでは、友達と一緒に映画やドラマ、音楽などのコンテンツをFaceTimeなどで同時に視聴できる「SharePlay」機能を利用でき、離れた人と同じ作品を楽しみながら盛り上がることができる。SharePlayはApple TVやApple Musicなどで利用できるほか、一部のサードパーティー製アプリも対応済みだ。ただし、通話する相手全員が下の囲み記事にまとめた条件を満たす必要がある。なお、自分の画面を相手に見せられる「画面共有」機能を使えば、SharePlayに対応していないYouTubeの動画や、写真アプリの写真や動画も再生して一緒に楽しめる。

SharePlayを使って一緒に視聴する

SharePlay利用中の画面

FaceTimeで友達と通話中に、Apple TVやApple MusicなどのSharePlay対応アプリを起動して再生を開始すると、一緒に同じ映画や音楽などを楽しめる。SharePlayの利用中はメニューバーにSharePlayボタンが表示され、参加中のメンバーを確認したり、SharePlayを終了できる。

SharePlayの利用条件と使い方

1 FaceTimeアプリで通話する

「新規FaceTime」ボタンで通話しよう

まずは、SharePlayで映画や音楽を一緒に楽しみたい相手とFaceTimeで通話しよう。全員が右囲み記事にまとめた条件を満たす必要がある。

SharePlayでの接続に必要な条件

●最新OSに更新済み
参加メンバー全員が、macOS 12.1以降のMacや、iOS 15.1以降のiPhone、iPadOS 15.1以降のiPadを使っている必要がある。

●FaceTimeアプリで通話
参加メンバーを招待するのにFaceTimeアプリでの通話が必要。Webブラウザで通話するとSharePlayは利用できない。なお、iPhoneまたはiPadから参加依頼がメッセージで届くと、メッセージでもSharePlayに参加できる。

●対応アプリが必要
SharePlayに対応したアプリが必要。Apple TVやApple Musicだけでなく、他社製のアプリでも対応したものがある。

●有料サービスは加入が必要
SharePlayで再生した映画や音楽が有料サービスの場合は、相手も加入していないと画面を共有できない。

2 SharePlay対応アプリを起動する

クリック

ミュージックなどのSharePlay対応アプリを起動して再生を開始すると、「SharePlayしますか?」と表示されるので、「SharePlay」をクリック。

3 SharePlayで同時に楽しむ

SharePlayを終了するにはここをクリック

通話相手と同時に視聴できる。SharePlayを終了するには、メニューバーのSharePlayボタンをクリックして再生中のコンテンツの「×」をクリック。

4 SharePlayの終了方法を選ぶ

「自分に対してだけ停止」は自分だけ途中で視聴をやめて退出できる。他のメンバーの画面では再生が継続される

全員に対して停止」か「自分に対してだけ停止」をクリックすると、SharePlayを停止できる。

5 操作中の画面を共有する

メニューバーの「FaceTime」ボタン→「画面共有」ボタンをクリックし、「ウインドウ」か「画面」を選んで共有する画面を選択。YouTubeなどSharePlay非対応の画面を共有して、通話相手と一緒に楽しめる

メニューバーの「FaceTime」ボタンから「画面共有」ボタンをクリックすると、選択したウインドウや画面を通話相手に見せることもできる。

035
便利機能

その他標準アプリの便利な機能をまとめて紹介
その他の標準アプリ
テクニック

---

1 メモアプリの内容をテキストとして書き出す

Marckown形式か
HTML形式で保存

　標準の「メモ」アプリにはテキスト出力機能が
ないので、メモ内容をテキストとして保存したい
時は、ひとつずつテキストエディタなどにコピペ
するといった作業が必要だ。しかし「Exporter」
を使えば、ワンクリックですべてのメモをまとめ
てテキスト化し、フォルダごとに分類して保存で
きる。フォーマットはMarckownかHTMLを選
択可能だ。

1 フォーマットを
選択する

Exporter
作者／Chintan Ghate
価格／無料
入手先／ App Store

Exporterを起動したら、まずメニューバーの
「Format」で、テキストのフォーマットをMarckownか
HTMLから選択しておこう。

2 テキスト形式で
保存する

あとはアプリの画面内にある「↓」ボタンをクリックする
だけで、すべてのメモをテキスト形式でダウンロードし、
保存先を指定できる。

---

2 WindowsやAndroidともFaceTimeで通話する

通話リンクを作成
して招待しよう

　無料で音声通話やビデオ通話を行える
FaceTime は、Appleデバイス同士だけでな
く、WindowsやAndroidユーザーとも通話す
ることが可能だ。FaceTimeで通話のリンクを
作成し、メールなどで招待すると、Windowsや
AndroidユーザーはWebブラウザからログイン
不要で通話に参加できる。相手のデバイスを選
ばずオンラインミーティングなどに活用できる
ので覚えておこう。

1 FaceTimeの通話
リンクを作成する

FaceTimeを起動したら「リンクを作成」をクリックし、
メールやメッセージなどで参加してほしい相手にリンク
を送信する。

2 作成した通話
リンクに参加する

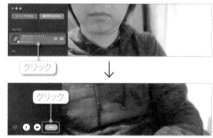

「今後の予定」に作成したリンクが表示されるので、これ
をダブルクリック。続けて「参加」をクリックし、他のメン
バーが参加するのを待とう。

3 WindowsやAndroid
ユーザーの操作

WindowsやAndroidユーザーは、メールなどで受け
取ったリンクをタップし、名前を入力して「続ける」→「参
加」をタップしよう。

4 通話への参加を
許可する

通話リンクを送った相手が参加すると、サイドバーに名
前が表示される。緑のチェックマークをクリックして参加
を許可すれば通話が開始される。

⊂⊃POINT

Webブラウザ経由の
通話で利用できない機能

Webブラウザで通話に参加すると、カメラのオン
／オフやマイクのミュートといった基本的な機能
は利用できるが、ポートレートモードなどのビデオ
エフェクトは利用できない。また、Webブラウザ経
由のメンバーはSharePlay（No034で解説）に
参加できない点にも注意しよう。

---

3 PagesでEPUBファイルを作成する

テンプレートを使って
簡単に電子書籍化

作成した原稿や資料を、AppleブックやKindleなどで採用されている電子書籍の標準フォーマット「EPUB」形式に変換したいなら、Apple標準の文書作成アプリ「Pages」を利用しよう。Pagesならどのテンプレートを使ってもEPUB形式で書き出せるほか、ブック作成用のテンプレートも豊富に用意されているので、見出しや写真の配置を調整するだけで簡単に電子書籍化できる。

1 Pagesで原稿を作成する

まずはPagesで「ファイル」→「新規」をクリック。空白テンプレートなどを選んで原稿を作成し、タイトルや見出しなどを設定していこう。

2 EPUB形式で書き出す

原稿が完成したら、EPUB形式で保存しよう。「ファイル」→「書き出す」→「EPUB」をクリックする。

3 タイトルやレイアウトを決めて保存する

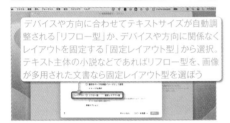

デバイスや方向に合わせてテキストサイズが自動調整される「リフロー型」か、デバイスや方向に関係なくレイアウトを固定する「固定レイアウト型」から選択。テキスト主体の小説などであればリフロー型を、画像が多用された文書なら固定レイアウト型を選ぼう

タイトルや作成者、表紙を設定し、レイアウトをリフロー型か固定レイアウト型から選択して保存すれば、EPUBファイルが作成される。

4 ブック作成用のテンプレートを選択

「ファイル」→「新規」をクリックし、サイドバーの「ブック」を選択すると、電子書籍に最適なブック向けのテンプレートを選択できる。

5 テンプレートから原稿を作成する

タイトルや写真を編集するだけで、見栄えの良い電子書籍を作成できる。あとは同様に「ファイル」→「書き出す」→「EPUB」で保存すればよい。

---

4 条件を指定して連絡先リストを作成する

スマートリストを
活用しよう

連絡先アプリでは、連絡先を自分でグループ分けして整理する「リスト」のほかにも、指定した条件に合う連絡先を自動でリストにまとめてくれる「スマートリスト」も作成可能だ。名前や会社、住所、メール、メモなどを含むか含まないかといった条件を設定できる。スマートルールは自動で振り分けるリストなので、手動で連絡先を追加したり削除することはできない。

1 新規スマートリストを作成する

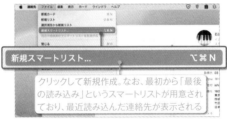

クリックして新規作成。なお、最初から「最後の読み込み」というスマートリストが用意されており、最近読み込んだ連絡先が表示される

連絡先アプリを起動したら「ファイル」→「新規スマートリスト」をクリックしよう。スマートリストの設定画面が開く。

2 自動で分類する条件を指定する

条件を指定する

スマートリスト名を入力し、まずは左側のポップアップメニューを開いて名前や会社、住所などの条件を指定し、キーワードを入力しよう。

3 指定した条件の振り分け方を指定

条件の振り分け方を指定する

右側のポップアップメニューで、指定した名前や会社、住所などの条件を含むか、含まないかといった振り分け方を指定しよう。

4 複数条件の適用方法を選択する

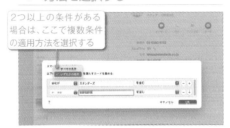

2つ以上の条件がある場合は、ここで複数条件の適用方法を選択する

右端の「+」ボタンで2つ以上の条件を追加した場合は、上部のメニューでいずれかの条件を満たすか、すべての条件を満たすかも選択しておこう。

5 条件に合う連絡先が自動で振り分けられる

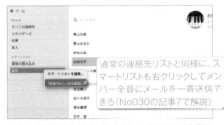

通常の連絡先リストと同様に、スマートリストも右クリックしてメンバー全員にメールを一斉送信できる（No030の記事7で解説）

条件に合う連絡先が、作成したスマートリストに自動で振り分けられる。なお、手動で連絡先の追加や削除はできない。

5 複数の写真や動画にまったく同じ加工を施す

複数の写真の色味
などを統一できる

写真アプリでは、写真のパラメーターを調整したりフィルタを適用して、さまざまな編集を施せる。この写真に対して行った一連の編集内容は、コピーして別の写真にペーストすることで、同じ編集内容をそのまま適用することが可能だ。複数の写真を選択すれば、まとめて同じ編集内容を適用することもできるので、大量の写真の色味を同じように調整したいときなどに活用しよう。

1 写真に編集を加える

調整やフィルタで写真に編集を加えたら、右上の「完了」をクリックして適用

写真アプリで写真を開き、右上の「編集」をクリック。まずはひとつの写真に対して「調整」や「フィルタ」で編集を加えよう。

2 編集した写真の編集内容をコピー

編集内容をコピー

クリック

編集を終えたらライブラリ画面に戻り、編集した写真を右クリックして「編集内容をコピー」を選択する。

3 複数の写真を選択し編集内容をペースト

編集内容をペースト

クリック

同じ編集を加えたい写真を複数選択し、右クリックして「編集内容をペースト」を選択。コピーした一連の編集内容が選択した写真に適用される。

4 編集をペーストした写真を元に戻す

オリジナルに戻す

クリック

編集をペーストした写真を選択して右クリックし、「オリジナルに戻す」をクリックすれば、いつでも編集前のオリジナル写真に戻せる。

POINT

コピー&ペーストできない編集項目

編集内容をコピー&ペーストできるのは調整の色味やフィルタなどの項目のみで、レタッチや赤目修正、切り取りツール、他社製の機能拡張を使った編集などはコピーできない。

切り取りなどの編集は個別に行おう

6 写真や動画を指定した形式やサイズで書き出す

ファイル形式の変更や
編集前の保存も可能

写真アプリ内の写真をMacBookに書き出すには、サムネイルをドラッグ&ドロップするのがもっとも手軽だが、ファイル形式やサイズを変更することはできない。写真を選択して「ファイル」→「書き出し」で、書き出し方法を細かく指定できるので覚えておこう。編集済みの写真から未編集のオリジナル写真を書き出したり、ビデオの品質を変更して書き出すことも可能だ。

1 写真アプリのファイルメニューから書き出す

10枚の写真を書き出す

クリック

写真アプリの写真を保存形式などを指定して書き出すには、写真を選択して「ファイル」→「書き出す」→「○枚の写真を書き出す」をクリック。

2 ファイル形式を変更する

ファイル形式を指定する

「写真の種類」のメニューを開くと、書き出す際のファイル形式をJPEG、TIFF、PNGから選択できる。

3 サイズを変更する

サイズを指定する

「サイズ」ではフルサイズ、大、中、小に変更できるほか、「カスタム」でサイズを直接指定できる。あとは「書き出す」で保存すればよい。

4 ビデオの品質も変更できる

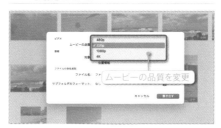

ムービーの品質を変更

ビデオの場合も、同様に「ファイル」→「書き出す」→「○本のビデオを書き出す」をクリック。「ムービーの品質」で品質を変更できる。

5 編集前の写真やビデオを書き出す

10枚の写真の未編集のオリジナルを書き出す

クリック。オリジナルのまま書き出すので、ファイル形式やサイズは変更できない

編集を加えた写真やビデオを選択すると、「ファイル」→「書き出す」→「未編集のオリジナルを書き出す」で編集前の写真やビデオを保存できる。

7 重複した写真や動画をひとつに結合する

「重複項目」アルバム
で簡単に結合できる

写真アプリでは、ライブラリ全体から同じ写真を検出すると「重複項目」アルバムに一覧表示してくれる。まったく同じものだけでなく、解像度やファイル形式が異なる写真が検出される場合もある。重複した写真の「○個の項目を結合」ボタンをタップすると、もっとも品質の高い写真が残され、残りの重複写真は「最近削除した項目」に移動する。まとめて結合することも可能だ。

1 重複アルバムを
開いて結合する

サイドバーで「重複項目」アルバムを開き、「○個の項目を結合」をクリックすると、品質の高い写真のみを残して他の写真を削除する。

2 すべての重複項目を
まとめて結合する

重複項目をまとめて結合するには、「command」＋「A」ですべて選択し、右クリックから「○項目を結合」をクリックすればよい。

8 写真を柔軟にキーワード検索する

強力な検索機能を
使いこなそう

写真アプリは検索機能も強力で、何が写っているかを解析して自動で分類してくれる。「食べ物」「花」「犬」「ラーメン」「海」など一般的なキーワードで検索でき、複数キーワードで絞り込むことも可能だ。また、写真に写り込んだテキストなども検索対象になる。一枚一枚確認するよりも断然効率的なので、検索機能を使いこなして目的の写真をピンポイントで探し出そう。

1 右上の検索欄で
写真を検索する

ライブラリ画面右上の検索欄でキーワードを入力して検索しよう。写真のカテゴリなどの候補が表示されるので、これをクリックする。

2 複数のキーワードで
絞り込む

さらに撮影場所や日時、キーワードなどの候補を選択すると、複数のキーワードで絞り込める。「すべて表示」で絞り込まれた写真が一覧表示される。

9 リマインダーを家族や同僚と共有する

リマインダーのタスクを
共同で管理しよう

リマインダーのリストは他のユーザーと共有できる。あらかじめ「プロジェクト」「買い物」といったリストを作成して共有すれば、プロジェクトの進捗状況を社内で管理したり、家族で買い物リ

ストを共有して買い忘れを防ぐことができる。共有リスト内のタスクは、参加メンバーが自由に追加したり完了できるほか、タスクを特定のメンバーに割り当てることも可能だ。また、共有リスト内でタスクの追加や完了、割り当てなどが行われると、通知が届いて知らせてくれる。

リマインダーの割り当て

リマインダーの右端にポインタを合わせ「i」をクリックすると、「割り当て先」で共有中のメンバーにタスクを割り当てできる。

1 他のユーザーと
リストを共有する

リマインダーアプリで共有したいリストを作成して開いたら、共有ボタンからメッセージやメールで共有したい相手に参加依頼を送ろう。

2 共有リストを
管理する

共有したリストの右上に表示されるユーザーボタンから「共有リストを管理」をクリックすると、共有メンバーの追加や削除、共有の停止を行える。

3 タスクの追加などは
通知で確認できる

共有リストに参加したメンバーは、自由にタスクを追加したり削除できる。リストの追加や完了、タスクの割り当てなどが行われると通知が届く。

各種デバイスとの連携テクニック

iPhoneやiPadも持っているユーザーは、ぜひMacBookとの連携機能を試してみよう。Sidecarやユニバーサルコントロールといった目立った機能だけではなく、使ってみると便利すぎる細かな連携機能も漏らさずフォロー。Windowsとの連携術も解説している。

iPadを2台目のディスプレイとして使える
iPadをMacBookの サブディスプレイとして利用する

デュアルディスプレイ環境を簡単に構築できる

iPadを、MacBookの2台目のディスプレイとして活用できる便利な機能が「Sidecar」だ。Sidecarに対応したMacBookとiPadを使用し、それぞれ同じApple IDでサインインしており、BluetoothとWi-Fi、Handoffが有効になっていれば利用できる。MacBookの画面の延長先にiPadの画面があるように使うこともできるし、MacBookと同じ画面をiPadに表示させることも可能だ。Sidecarで接続中はiPadの画面をタッチ操作できないが、Apple Pencilの操作には対応しているので、特にイラストを描く際などはiPadをペンタブレットのように使えて便利だ。またMission Control（No009で解説）を使えば、MacBook側はもちろんiPad側にもデスクトップを追加して、複数のデスクトップを切り替えながら作業できる。なお、Sidecar機能ではMacBookからiPadのアプリなどを操作することはできないが、「ユニバーサルコントロール」（No037で解説）を利用すれば、MacBookのトラックパッドやキーボードを使ってiPadを直接操作でき、ファイルの受け渡しなどもドラッグ＆ドロップで行える。Sidecarとユニバーサルコントロールは排他利用なので、必要に応じて使い分けよう。

MacBookの画面とiPadの画面を連携させよう

Sidecarの利用条件
● macOS Catalina以降をインストールしたMacBook
● iPadOS 13以降およびApple Pencil（第1世代、第2世代どちらも対応）に対応したiPad
● 両方のデバイスで同じApple IDでサインイン
● ワイヤレスで接続する場合は、10メートル以内に近づけ、両デバイスでBluetooth、Wi-Fi、Handoffを有効にする。また、iPadはインターネット共有を無効にする
● 有線で使う場合は、両デバイスともBluetooth、Wi-Fi、Handoffがオフでもよい。iPadでインターネット共有中でも利用できるが、その場合iPadのWi-FiとBluetoothはオンにする必要がある

表示方法1 個別のディスプレイとして使用

MacBook側ではテキストエディタで原稿を書く

2つのディスプレイ表示方法の違い

表示方法1 個別のディスプレイ……別々の内容を表示

画面を広く使える

iPadの画面をMacBookの画面の延長領域として使うモード。余分なウインドウをiPad側に置いて画面を広く使えるほか、MacBookにはアプリのメイン画面だけ配置してツールやパレットをiPad側に配置したり、ファイルを2つ開いて見比べながら作業したい時にも便利。

表示方法2 ミラーリング……同じ内容を表示

ペンタブレット化できる

MacBookと同じ画面をiPadにも表示するモード。プレゼンで相手に同じ画面を見せたい時などに役立つほか、iPadをペンタブレット化させる点も便利。MacBookでイラストアプリを起動すればiPad側ではApple Pencilを使ってイラストを描ける。

POINT

ユニバーサルコントロールに切り替わってしまう場合は

SidecarでMacBookとiPadの画面をポインタで行き来していると、勝手にユニバーサルコントロールに切り替わり、Sidecarが解除されてしまうことがある。これを防ぐには「システム設定」→「ディスプレイ」で「詳細設定」ボタンをクリックし、「ポインタとキーボードを近くにあるすべてのMacまたはiPad間で移動することを」許可をオフにしておけばよい。ユニバーサルコントロールは使えなくなるが、Sidecarで安定して接続できる。

Mac または iPad にリンク

ポインタとキーボードを近くにあるすべてのMacまたはiPad間で移動することを許可
ポインタとキーボードをiCloudアカウントにサインインしている近くのすべてのMacまたはiPadで使用できます。

オフにする

個別のディスプレイとして接続する操作手順

1 コントロールセンター から接続

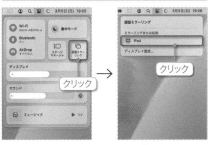

クリック

Macのコントロールセンターを開き、「画面ミラーリング」をクリック。「ミラーリングまたは拡張」に接続可能なiPad名が表示されるので、これをクリックすればSidecarで接続できる。

2 個別のディスプレイ を選択する

クリック

メニューバーの画面ミラーリングボタンをクリックしiPad名の横にある「>」をクリック。iPadをMacBookのサブディスプレイとして使う場合は「個別のディスプレイとして使用」を選択しよう。

3 Sidecarの接続を 解除する

クリック

タップ

画面ミラーリングのメニューを開き、iPad名をクリックすると接続を解除できる。iPadのサイドバーにある接続解除ボタンをタップして「接続解除」をタップしてもよい。

ポインタの移動方法
ポインタは、MacBookの画面の端からiPadの画面へ移動して操作できる。iPad側ではポインタを指で操作できない

iPad側では必要な資料を表示しておけばいつでも確認できる。なお、iPadの画面でデスクトップに新規フォルダなどを作成した場合は、接続を解除するとMacBookのデスクトップに保存されている

ディスプレイの位置関係を変更する

iPadの画面を好きな位置にドラッグ。左右だけでなく上下にも配置できる。また白いメニューバーをiPad側にドラッグすれば主要ディスプレイに変更できる

「システム設定」→「ディスプレイ」を開き「配置」ボタンをクリックすると、MacBookとiPadの画面がつながる位置関係を自由に変更できる。

ユニバーサルコントロールに切り替える

キーボードとマウスをリンク

ユニバーサルコントロールに切り替えるには、「システム設定」→「ディスプレイ」でiPadの画面を選択して「使用形態」を「キーボードとマウスをリンク」に変更すればよい。

ウインドウを移動させる方法

1 ウインドウをドラッグ して移動する

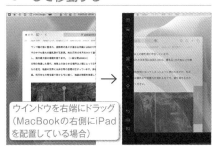

ウインドウを右端にドラッグ
（MacBookの右側にiPadを配置している場合）

MacBookの画面でウインドウを右端にドラッグするとiPadの画面の左端にウインドウが表示される。ポインタがiPad側に移動した時点でウインドウも移動する。

2 フルスクリーン ボタンで移動する

クリック

ウインドウのフルスクリーンボタンの上にポインタを置くとメニューが表示され、「iPadに移動」で素早くiPad側に移動できる。iPad側では「ウインドウをMacに戻す」でMacBook側に戻せる。

3 iPad側の画面で新しい ウインドウを開く

メニューバーやDockから
新しいウインドウを開く

iPad側の画面にもメニューバーやDockは表示できる。MacBook側でウインドウを開いて移動しなくても、iPad側の操作で新しいウインドウを開くことが可能だ。

内蔵Retinaディスプレイをミラーリング

MacBook側ではイラストアプリ
などを起動。ペン入力以外の操作
はMacBook側で行おう

MacBookと
iPadで同じ画面
が表示される

イラストを描いたり細かいフォトレタッチ
を行ったりは、Apple Pencilを使って
iPad側で行う

MacBookとiPadをミラーリングする手順

1 コントロールセンター から接続

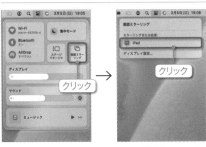

クリック

Macのコントロールセンターを開き、「画面ミラーリン
グ」をクリック。「ミラーリングまたは拡張」に接続可能な
iPad名が表示されるので、これをクリックすれば
Sidecarで接続できる。

2 ミラーリングを 選択する

クリック

メニューバーの画面ミラーリングボタンをクリックし、
iPad名の横にある「>」をクリック。MacBookとiPad
を同じ画面で使う場合は「内蔵Retinaディスプレイを
ミラーリング」を選択しよう。

3 Sidecarの接続を 解除する

クリック

タップ

メニューバーの画面ミラーリングボタンをクリックし、
iPad名をクリックすると接続を解除できる。iPadのサイ
ドバーにある接続解除ボタンをタップして「接続解除」
をタップしてもよい。

Sidecarを利用する際の注意点

1 Apple Pencilを使うなら 解像度をiPadに合わせる

「システム設定」→「ディスプレイ」
を開き、MacBookの「解像度の設
定」を「iPad」に変更する

ミラーリング時の解像度がMacBook側に合っていると、iPadでApple Pencilを使う際に、ペン先とポインタの位置がずれることがある。これはディスプレイの設定で解像度をiPad側に合わせることで解消できる。

2 Apple Pencilのペア リングが解除される

iPadを再起動してペアリングし直す

Sidecarで接続した際に、Apple Pencilのペアリングがすぐ解除されるようなら、一度iPadを再起動してみよう。Apple Pencilを再度ペアリングし直せば、解消することが多い。

3 Sidecarを使わず PDFに手書きする方法

PDFに手書きしたいだけなら、いちいちSidecarで接続する必要はない。No040の記事3で解説している「連係マークアップ機能」を使えば、クイックルック画面から素早くiPadと連携してApple Pencilで編集できる。

POINT
個別ディスプレイで手書きするのも便利

Sidecarをミラーリングで利用すると、メニューの選択やテキスト入力といった操作をMacBook側で行い、イラストの描画やPDFの書き込みといった手書き操作はApple Pencilが使えるiPad側で行うなど、MacBookとiPadで同じ画面を見ながら操作の使い分けができる点が便利だ。ただ、P086の「個別のディスプレイとして使用」に切り替えたほうが使いやすい場合もある。例えばMacBookで起動したイラストアプリを全部iPad側に移動して、MacBook側に表示した資料を見ながら、iPad&Apple Pencilでイラストを描くといった使い方だ。利用シーンに合わせて、Sidecarの接続方法も切り替えよう。

Sidecarのさまざまな機能を利用する

1 iPadの画面に メニューバーを表示

メニューバーが表示される。iPad画面で画面の一番上にカーソルを動かしても表示できる

指やApple Pencilでタップ。サイドバーやTouch Barのボタンはポインタでは操作できない

iPadでウインドウをフルスクリーン表示している時は、サイドバー(iPad画面左側のメニュー)の左上ボタンでメニューバーの表示／非表示を切り替えできる。サイドバーのボタンは指やApple Pencilでタップできる。

2 iPadの画面に Dockを表示する

タップ

Dockが表示される。iPad画面で画面の一番下にカーソルを動かしても表示できる

メニューバー表示ボタンの下のボタンをタップすると、iPadの画面にDockが表示され、MacBookの画面からはDockの表示が消える(個別のディスプレイの場合)。もう一度タップで元に戻る。

3 iPadで装飾キー を利用する

上から「command」「option」「control」「shift」キー。「command」キーで複数ファイルを選択する際など、MacBookのキーボードを使わずにiPadの画面だけで素早く操作できる

サイドバーには「command」や「option」などの装飾キーも用意されている。これらのキーはロングタップして利用できるほか、ダブルタップするとキーがロックされる。

4 サイドバーの その他のボタン

上から取り消し、キーボード、接続解除ボタン

サイドバーの左下にある3つのボタンで、直前の操作の取り消しや、キーボードの表示／非表示切り替え、Sidecarの接続解除を行える。

5 iPadでTouch Bar を使う

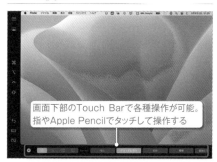

画面下部のTouch Barで各種操作が可能。指やApple Pencilでタッチして操作する

Sidecarで接続すると、MacBookにTouch Barが搭載されていなくても、iPadの画面にTouch Barが表示される。MacBookのTouch Barと同じように機能しアプリごとにさまざまなメニューを操作できる。

6 サイドバーや Touch Barを隠す

「サイドバーを非表示」「Touch Barを非表示」を選択すると非表示になる

サイドバーやTouch BarがあるとiPadの作業領域が少し狭くなる。使わないなら非表示にしておこう。メニューバーの画面ミラーリングボタンをクリックすると表示／非表示を切り替えできる。

7 Apple Pencilで タッチ操作する

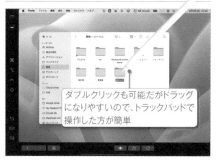

ダブルクリックも可能だがドラッグになりやすいので、トラックパッドで操作した方が簡単

Sidecarを利用中はiPadの画面を指でタッチ操作できないが、Apple Pencilを使えばポインタの移動やクリックなどをタッチ操作で行える。またイラストを描いたり手書き文字を入力することも可能だ。

8 Sidecar利用中に iPadアプリを使う

タップするとSidecarの画面に戻る

Sidecarを利用中でも、iPadの画面下端から上へスワイプしてホーム画面に戻ればiPadのアプリを利用することが可能だ。Dockに表示されるSidecarのアイコンをタップすると、Sidecarの画面に戻る。

iPadの画面で使える ジェスチャー

iPad画面ではサイドバーやTouch Bar以外の画面を指でタッチ操作できないが、iPadのジェスチャーは利用できる。利用可能なジェスチャーは下記の通り。

スクロール	2本指でスワイプ
コピー	3本指でピンチイン
カット	3本指で2回ピンチイン
ペースト	3本指でピンチアウト
取り消す	3本指で左にスワイプするか、3本指でダブルタップ
やり直す	3本指で右にスワイプ

POINT

iPadスタンドの 利用がおすすめ

iPadを個別のディスプレイとして接続する場合、iPadの画面と見比べながらMacBookで作業をすることになるので、iPadの画面が自立していないと使いづらい。iPadのサイズに対応したタブレットスタンドを別途用意して、iPadの画面を見やすい環境を整えておこう。

サンワダイレクト
200-STN035
価格／2,300円

ユニバーサルコントロールを使いこなそう
MacBookのトラックパッドでiPadを操作する

MacBookから手を離さずIPadをコントロールできる

Sidecar（No036で解説）はMacBookの画面を拡張したりミラーリングするための機能なので、MacBookからiPadの操作はできない。これに対し「ユニバーサルコントロール」は、MacBookのトラックパッドとキーボードを使って、近くにあるiPadを直接操作できるようにする機能だ。1台のMacBookから最大2台のiPadをコントロールでき、複数の画面をポインタがシームレスに行き来してデバイスの違いを意識せずに操作できる。MacBookで作業しながら手を離すことなくiPadアプリを利用できるので、LINEやSlackなどをiPadで開いておいて投稿や返信はMacBookから行ったり、iPadでYouTubeの動画を流しながら再生コントロールはMacBookから行うといった使い方に利用しよう。さらにユニバーサルコントロールで接続されたデバイス間では、ドラッグ&ドロップで手軽にファイルをやり取りすることもできる。MacBookにしかないファイルをiPadに受け渡したい時に重宝するほか、選択したテキストを相互にドラッグ&ドロップすることも可能だ。なお、ユニバーサルコントロールでは、iPadだけではなく別のMacと連携して操作することもできる。

ユニバーサルコントロールの事前準備を確認しよう

ユニバーサルコントロールの利用条件

- macOS Monterey 12.4以降をインストールした、2016年以降発売のMacBookおよびMacBook Pro、2018年以降発売のMacBook Air
- iPadOS 15.4以降をインストールした、iPad（第6世代以降）、iPad Air（第3世代以降）、iPad mini（第5世代以降）、iPad Pro（すべてのモデル）
- 各デバイスで同じApple IDでサインイン
- 各デバイスを10メートル以内に配置し、それぞれでBluetooth、Wi-Fi、Handoff を有効にする。また、iPadはインターネット共有を無効にする

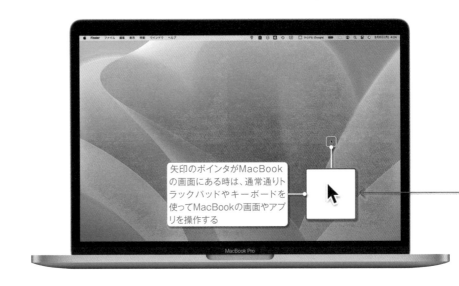

矢印のポインタがMacBookの画面にある時は、通常通りトラックパッドやキーボードを使ってMacBookの画面やアプリを操作する

MacBookとiPadの事前の設定

MacBookの設定

各スイッチをオンにする

MacBookでは、「システム設定」→「ディスプレイ」→「詳細設定」をクリックし、「MacまたはiPadにリンク」の各スイッチをすべてオンにしておく。

iPadの設定

オンにする

iPadでは、「設定」→「一般」→「AirPlay と Handoff」を開き、「カーソルとキーボード」のスイッチをオンにしておけばよい。

POINT

一部の他社製マウスはスクロール操作に不具合

MacBookにサードパーティー製マウスを接続しているなら、iPadの画面もマウスで操作できる。トラックパッドとの同時使用も可能だ。ただしマウスによっては、iPadの画面をスクロールできない不具合があるので注意しよう。例えばlogicoolのマウスだと、公式ユーティリティ「Logi Options+」に対応するマウスならユニバーサルコントロールを正式サポートするが、旧タイプの「Logi Option」にのみ対応する古いマウスは、MacBookとiPadの画面を行き来しているうちにiPad側の画面でスクロールが効かなくなる。

ユニバーサルコントロールを正式サポートするLogicool「MX MASTER 3S」などのマウスを利用しよう。

ユニバーサルコントロールを開始する

1 MacBookでiPadの方向にポインタを動かす

ポインタを画面端のさらに先まで動かし続ける

MacBookの近くにロックを解除したiPadを置いたら、MacBookでiPadがある方向にポインタを移動し、画面端まで到達してもさらに動かし続ける。

2 ポインタがiPadの画面内に移動する

ポインタがiPadの画面内に入るまで動かす

iPadの画面にポインタがはみ出す画面が表示されるので、ポインタをそのまま画面内まで押し進める。一度ポインタが移動すると、以降はポインタがスムーズに移動するようになる。

3 ディスプレイの配置を変更する

iPadの画面をドラッグして左や右、下に配置する

AppleメニューやDockで「システム設定」を開き、「ディスプレイ」→「配置」をクリック。MacBookとiPadの画面の位置関係を変更できる。iPadの画面は左右だけでなく下にも配置できるが上には配置できない。

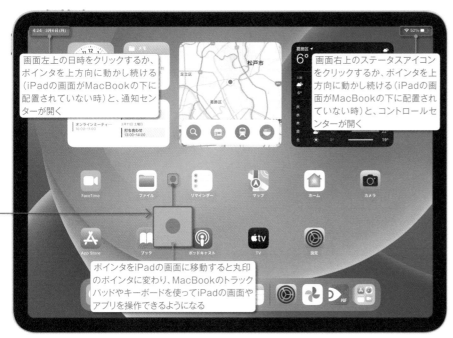

画面左上の日時をクリックするか、ポインタを上方向に動かし続ける（iPadの画面がMacBookの下に配置されていない時）と、通知センターが開く

画面右上のステータスアイコンをクリックするか、ポインタを上方向に動かし続ける（iPadの画面がMacBookの下に配置されていない時）と、コントロールセンターが開く

ポインタをiPadの画面に移動すると丸印のポインタに変わり、MacBookのトラックパッドやキーボードを使ってiPadの画面やアプリを操作できるようになる

Sidecarに切り替える

クリック

クリック

Sidecarに切り替えるには、コントロールセンターを開いて「画面ミラーリング」をクリックし、iPad名を選択しよう。Sidecarが開始され、自動的にユニバーサルコントロールはオフになる。

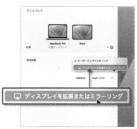

または、「システム設定」→「ディスプレイ」を開き、iPadの画面を選択。「使用形態」を「ディスプレイを拡張またはミラーリング」に変更してもよい。

トラックパッドによる各種操作

1 タップやロングタップなどの基本操作

1本指でクリックするとタップ操作になるなど直感的に操作できる

iPadの画面はトラックパッドジェスチャで操作する。トラックパッドを1本指でクリックしてタップ、長押しでロングタップ、クリックしたまま動かしてドラッグする。

2 DockやAppスイッチャーの表示とホーム画面の戻り方

ホーム画面に戻るにはポインタで操作するよりも、トラックパッドを3本指で上にスワイプして戻る操作の方が簡単でおすすめ。途中で止めるとAppスイッチャー画面になる

ポインタを画面最下部から下に動かすとDockが表示され、さらに下に動かすか下部のバーをクリックするとホーム画面に戻る。ホーム画面で画面最下部から下に動かすとAppスイッチャーが開く。

3 画面をスクロールする操作

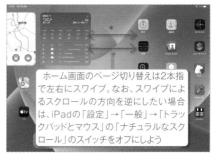

ホーム画面のページ切り替えは2本指で左右にスワイプ。なお、スワイプによるスクロールの方向を逆にしたい場合は、iPadの「設定」→「一般」→「トラックパッドとマウス」の「ナチュラルなスクロール」のスイッチをオフにしよう

トラックパッドを2本指で上下にスワイプすると上または下にスクロール。2本指で左右にスワイプすると左または右にスクロールする。

ユニバーサルコントロールの各種操作

1 MacBookのキーボードで文字を入力する

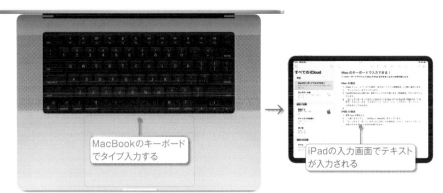

MacBookのキーボード
でタイプ入力する

iPadの入力画面でテキスト
が入力される

ユニバーサルコントロールの利用中はトラックパッドだけでなくキーボードも共有されるので、ポインタがiPadの画面内にある状態で入力画面を開くと、MacBookのキーボードを使ったテキスト入力が可能だ。ただし、日本語入力システム自体はiPadのものを使用するので、MacBookの変換履歴やATOKなどのユーザ辞書は利用できない。

2 オンスクリーンキーボードに切り替える

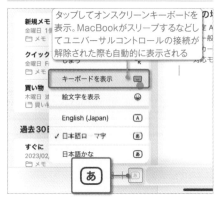

タップしてオンスクリーンキーボードを表示。MacBookがスリープするなどしてユニバーサルコントロールの接続が解除された際も自動的に表示される

iPadのオンスクリーンキーボードを使いたい時は、テキスト入力中に表示されるツ ルバ で「あ」「A」などのボタンをタップし、メニューから「キーボードを表示」をタップすればよい。

3 ファイルや写真などを相互にドラッグ&ドロップ

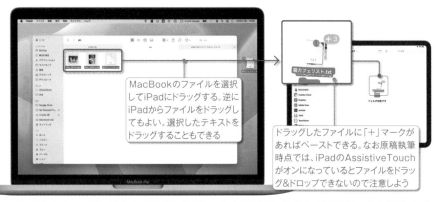

MacBookのファイルを選択してiPadにドラッグする。逆にiPadからファイルをドラッグしてもよい。選択したテキストをドラッグすることもできる

ドラッグしたファイルに「+」マークがあればペーストできる。なお原稿執筆時点では、iPadのAssistiveTouchがオンになっているとファイルをドラッグ&ドロップできないので注意しよう

ユニバーサルコントロールは、デバイス間のドラッグ&ドロップにも対応している。片方の画面でファイルを選択して、もう片方の画面まで移動するだけで、手軽に双方でファイルをやり取りすることが可能だ。ただし、ドラッグした際に「+」マークが表示されるファイルはペーストできるが、丸にスラッシュが入った禁止マークが付いているとペーストできない。

〇 POINT
こんなシーンで活用しよう

デバイス間のドラッグ&ドロップが特に便利なのは、MacBookにしかないファイルを手軽にiPadアプリに転送できる点だ。iPadは複数の場所に散らばった画像やファイルを一箇所にまとめる操作にあまり向いていないので、例えばGoodNotes 5などの手書きノートアプリと組み合わせれば、必要な画像やファイルをMacBookからさっとドラッグしてノートに追加でき資料の作成がはかどるはずだ。

4 2台のiPadを同時に接続する

1台目 ユニバーサルコントロールで接続

2台目 Sidecarで接続

ユニバ サルコントロ ル最人2台まで接続できるので、iPadを2台を接続して、それぞれでMacBookのトラックパッドとキーボードを行き来して操作することが可能だ。接続デバイスを増やすには、Appleメニューで「システム設定」→「ディスプレイ」を開き、「+」をクリック。「キーボードとマウスをリンク」欄から追加したいデバイスを選択すればよい。なお、上記のようにMacBookの左右にiPadをそれぞれ配置しなくても、右(左)に2台のiPadを並べてもいい。1台をユニバーサルコントロールで接続し、もう1台はSidecarに切り替えて利用することも可能だ。ただし、2台をユニバーサルコントロールで接続することはできるが、2台ともSidecarで接続することはできない。さらに、ユニバーサルコントロールはMacを接続することもできるので、iPad1台と別のMac1台を接続して利用することもできる。

038

Outlook

Outlookにメールや連絡先、カレンダーを同期
WindowsのOutlookと
各種データを同期する

iCloudメールの同期は 少し準備が必要

　MacBookではiCloudメールやカレンダー、連絡先アプリを使っているが、会社のWindowsパソコンではMicrosoft Outlookでメールやカレンダー、連絡先を管理している人もいるだろう。その場合は、WindowsのOutlookにiCloudの各種データを同期させておこう。連絡先とカレンダーは「Windows用iCloud」を使えば同期が可能だ。iCloudメールはOutlookからアカウントの追加を行えばよいが、Outlookは2段階認証のパスワードを扱えないため、https://appleid.apple.com/で「App用パスワード」を生成してからアカウントを追加する必要がある。

Outlookに連絡先とカレンダーを同期する

1 Windows用iCloudを インストール

Windows用iCloud
作者／Apple
価格／無料
入手先／https://support.apple.com/ja-jp/HT204283

> インストールしたらApple IDでサインインを済ませよう

WindowsのOutlookとiCloudの各種データを同期させるには、まずWindowsパソコンに「Windows用iCloud」をインストールしておく。

2 iCloud設定で連絡先と カレンダーを同期する

> チェックして「適用」をクリック

タスクバーに常駐するiCloudアイコンなどから設定画面を開き、「連絡先およびカレンダー」にチェックして「適用」で連絡先とカレンダーを同期できる。

OutlookにiCloudメールを同期する

1 Apple IDの管理ページ にアクセスする

> Apple IDでサインイン

iCloudメールアカウントを追加するには、まずWindowsのWebブラウザでApple IDの管理ページ（https://appleid.apple.com/）にアクセスしサインインする。

2 App用パスワードを 生成する

> クリック

「サインインとセキュリティ」画面で「App 用パスワード」をクリックし、続けて表示される画面で「App用パスワードを生成」をクリックする。

3 App用パスワードを コピーしておく

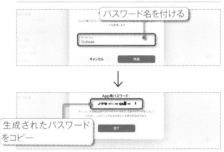

> パスワード名を付ける

> 生成されたパスワードをコピー

パスワード名として「Outlook」などを入力し「作成」をクリックするとパスワードが生成される。このパスワードをコピーしておこう（ハイフンは不要）。

4 生成したパスワードで アカウントを追加する

> 生成したApp用パスワードをハイフンなしで入力

Outlookで「ファイル」→「アカウントの追加」をクリックし、iCloudメールアドレスを入力。続けてパスワード入力画面で生成したパスワードをハイフンなしで入力すれば、iCloudメールアカウントが追加される。

5 OutlookにiCloud メールが同期される

以上でWindowsのOutlookにiCloudメールが同期された。「Windows用iCloud」で同期した連絡先とカレンダーも同期されているか確認しよう。

POINT

Mac版のOutlookを 利用する

WindowsのOutlookにiCloudデータを同期しなくても、MacBookで「Outlook for Mac」を使う方法もある。以前はOutlook for Macの利用に「Microsoft 365」のサブスクリプション契約が必要だったが、現在は無料で利用可能だ。Outlookメインでメールや連絡先、カレンダーを管理しているならこちらのほうが手軽でおすすめ。

Microsoft Outlook
作者／Microsoft Corporation
価格／無料
入手先／App Store

039

クラムシェルモード

MacBookをクラムシェルモードで使うための基礎知識

大画面ディスプレイを
接続して利用する

MacBookをデスクトップパソコン感覚で扱える

「クラムシェルモード」とは、MacBookを閉じた状態にして、外付けのディスプレイと接続して使用する形態のこと。MacBookを縦置きスタンドなどに収納すれば、超省スペースなデスクトップパソコンのように扱うことができる。また、大画面のディスプレイにつなぐことで、通常より作業効率がアップするというメリットも。このクラムシェルモードを使うには、以下でまとめたようなアイテムが必要になるので用意しておこう。

自宅や会社では「クラムシェルモード」が使いやすい

MacBookを閉じてディスプレイに接続

MacBookを外部ディスプレイと接続し、クラムシェルモードで利用している図。大きな画面で作業がしやすい。写真は、サンワサプライ製のスタンド（下記で紹介）にMacBookとiPhoneを立てかけている状態だ。

クラムシェルモードを使うために必要なもの

1 外付けディスプレイ

UltraFine 4K Display 24MD4KL-B
メーカー／LG
実勢価格／
84,890円（税込）

クラムシェルモードにまず必須なのは外部ディスプレイだ。LGのUltraFine 4K Display（23.7インチ）であれば、Thunderbolt 3ケーブル1本で接続できる。

2 外付けキーボードとマウス

**Appleシリコン搭載Macモデル用
Touch ID搭載Magic Keyboard**
メーカー／Apple
実勢価格／19,800円（税込）

Magic Mouse
メーカー／Apple
実勢価格／
10,800円（税込）

外付けのキーボードとマウスも必須。できれば有線よりも無線の方が使いやすい。Appleの純正Magic KeyboardとMagic Mouseがあればベストだ。

3 MacBook用スタンド

MacBookを閉じたまま縦置きで収納できるスタンド。傾斜が少し付いており、iPhoneやiPadを手前に立てかけて使うこともできる。スタイリッシュな見た目も好印象だ。

デュアル バーティカル アルミニウム スタンド
メーカー／Satechi
実勢価格／5,881円（税込）

設置スペースに余裕がある場合は、浮遊型スタンドもオススメ。外部ディスプレイとの接続がうまくいかなかったときなどに、すぐ本体を開いて操作できる。

Curve Stand for MacBook
メーカー／Twelve South
実勢価格／9,200円（税込）

HDMI端子がないMacBookでHDMI接続するには?

PowerExpand+ 5-in-1
メーカー／Anker
実勢価格／
5,090円（税込）

HDMI端子が搭載されていないMacBookの場合、ディスプレイとの接続には注意が必要だ。もしMacBookと外付けディスプレイをHDMIケーブルで接続したい場合は、HDMI端子付きのUSB-Cハブも別途用意しておこう。

クラムシェルモードを使ってみよう

必要なデバイスを接続して MacBookを閉じよう

クラムシェルモードに移行するには、まず、電源アダプタをMacBookに直接接続し、外付けキーボードやマウス、ディスプレイも接続しておこう。あとは、MacBookを閉じれば自動でクラムシェルモードになる。もちろん、MacBookを開いたまま使ってもいい。

1 MacBookに電源アダプタを直接接続する

電源ケーブルを直接接続する

USB-Cハブ経由では十分に給電されない恐れがあるので、電源ケーブルは直接MacBookに接続しよう。

2 外付けのキーボードとマウスを接続する

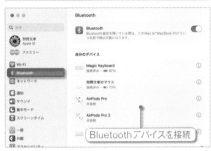

Bluetoothデバイスを接続

外付けキーボードとマウスを使えるようにしておこう。Bluetooth接続のデバイスを使う場合は、「システム設定」の「Bluetooth」からペアリングしておく。

3 外付けディスプレイを接続する

ディスプレイの配置や解像度などを設定

次に外付けディスプレイを接続しよう。接続したら、「システム設定」の「ディスプレイ」から各ディスプレイの解像度や配置などを使いやすいように設定しておく。

4 MacBookを閉じればクラムシェルモードになる

外部ディスプレイでメインの画面が表示される

MacBookを閉じれば、自動でクラムシェルモードに切り替わる。外部キーボードとマウス、ディスプレイで操作しよう。

MacBookのスタンドは冷却にも役に立つ

MacBookを外部ディスプレイと接続した場合、通常よりも処理に負荷がかかりやすく、本体の温度が上がりやすい。特に夏場は、机に置いたまま使うと本体に熱がこもって不具合が発生する可能性もある。MacBook用のスタンドを使うと本体の熱を効率よく冷却できるので、安定した動作が可能だ。

POINT

外部ディスプレイの最大同時出力数には制限がある

Appleシリコン搭載のMacBookでは、外部ディスプレイの最大同時出力数に制限がある。M1／M2の場合は1台の外部ディスプレイ、M1 Pro／M2 Proの場合は最大2台、M1 Max／M2 Maxの場合は最大で4台まで同時出力が可能だ。また、MacBookでは、本体のUSB-C端子1つにつき1つの映像のみが出力される仕様となっているので覚えておこう。ちなみに、クラムシェルモードで外部ディスプレイを使っているときも、SidecarでiPadを接続し、ディスプレイの延長領域として利用したりミラーリングすることができる。

HDMI端子付きのUSB-Cハブを選ぶときの注意点

HDMI端子×2

上の製品のようにHDMI端子が2つ以上あるようなアダプタには要注意。MacBookでは、本体のUSB-C端子1つにつき、1つの映像しか出力することができない。そのため、上のアダプタでディスプレイを2台つないだとしても、別々の映像を映すことができず、同じ映像のミラーリングしか行えないのだ。

クラムシェルモードでもiPadのSidecarを利用可能

クラムシェルモードでもiPadのSidecar（No036で解説）を利用できる。iPadを外部ディスプレイの延長領域にしたり外部ディスプレイの画面をミラーリングしたりが可能だ。接続方法は通常モードの場合と変わらないので、ぜひクラムシェルモードでもマルチディスプレイ環境を試してみよう。

040

連携技

iPhoneやiPadとの組み合わせでより便利に
iPhone&iPadとの先進的な連携機能を利用する

1 MacBookとiPhoneやiPadで作業を引き継ぐ

Handoffを有効に
して連携させよう

「Handoff」機能を使えば、iPhoneやiPadで作成中のメールや書類など、対応アプリの作業をMacBookに引き継いで再開できる。逆にMacBookでやりかけの作業を、iPhoneやiPadに引き継ぐことも可能だ。例えば、移動中にiPhoneで書いていたメールは、帰宅してからMacBookのDockにあるHandoffマーク付きのメールアプリを起動するだけで、すぐに作成中のメール画面が開いて続きを作成できる。なおHandoffを利用するには、下の囲み記事にまとめた条件を満たす必要がある。Handoffが使える状態になっていれば、ここで紹介するiPhone&iPad連携技の多くも利用可能になる。

iPhoneやiPadの作業をMacBookへ引き継ぐ

「POINT」記事にまとめた通り、Handoffを有効にする設定を済ませた上で、iPhoneやiPadでメールアプリを起動してメールの作成を開始しよう。

MacBookの画面では、Dockの最近使用したアプリ欄に、Handoffのマークが付いたメールアプリが表示されているはずだ。これをクリックすると、iPhoneで作成途中のメール画面が開いて作業を引き継げる。

MacBookの作業をiPhoneやiPadへ引き継ぐ

iPhoneへ引き継ぐ

MacBookの作業をiPhoneで引き継ぐには、iPhone側でAppスイッチャー画面を表示し、下の方にあるMacBookで作業中のアプリ名のバナーをタップすればよい。

iPadへ引き継ぐ

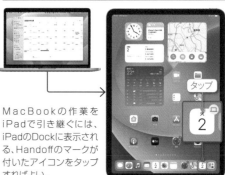

MacBookの作業をiPadで引き継ぐには、iPadのDockに表示される、Handoffのマークが付いたアイコンをタップすればよい。

2 MacBookとiPhoneやiPadをまたいでコピペする

ユニバーサル
クリップボードを利用しよう

Appleデバイス同士では、「ユニバーサルクリップボード」機能でクリップボードを共有できる事を知っておくと、さまざまな作業が劇的にはかどるはずだ。例えばMacBookで長文を仕上げてコピーすれば、iPhone側でメールやLINEなどに貼り付けてすぐに送信できる。テキストだけでなく画像やビデオも、ファイルを選択して「command」＋「C」でコピーすれば他のデバイスにペースト可能だ。

1 MacBookで作成した
テキストをコピー

iPhoneで送りたいメールが長文ならMacBookで入力した方が早い。作成したテキストを選択し、右クリックしてコピーしよう。

2 iPhoneのメール
画面でペースト

iPhoneでメールの作成画面にペーストすると、MacBookで書いたテキストを貼り付けできる

3 iPadの手書きでPDFに指示を加える

連係マークアップで注釈を反映させる

MacBookでPDFを選択してスペースキーを押すと、クイックルックでPDFの内容が表示される。この画面で上部のマークアップボタンをクリックすると、「連係マークアップ」機能によりすぐにiPadの画面にもPDFの内容が表示され、Apple Pencilで細かい注釈を書き込める。iPadに表示されない時は、マークアップ画面のツールバーにあるマークアップボタンをもう一度クリックし、iPad名を選択しよう。

1 クイックルックでPDFを表示する

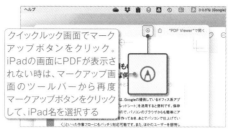

クイックルック画面でマークアップボタンをクリック。iPadの画面にPDFが表示されない時は、マークアップ画面のツールバーから再度マークアップボタンをクリックして、iPad名を選択する

MacBookでPDFを選択してスペースキーを押し、クイックルックで表示。続けてマークアップボタン（ペンマークのボタン）をクリックする。

2 iPadでPDFに指示を書き込む

iPadにMacBookで表示中のPDFファイルが表示され、Apple Pencilや指で注釈を書き込める。書き込んだ内容はリアルタイムでMacBook側に反映される

---

4 iPhoneやiPadでPDFに手書きで署名する

プレビューアプリで手書き署名を挿入

PDFで送られてきた書類に手書きで署名する必要がある場合は、MacBookのプレビューアプリでPDFを開こう。「マークアップ」ボタンをクリックし、続けて「署名」ボタンをクリック。「iPhoneまたはiPad」画面の「デバイスを選択」からiPhoneやiPadを選択すると、iPhoneやiPadの画面で署名を手書き入力できる。あとは作成した手書き署名を選択し、PDFの署名欄にサイズを調整しながら配置すればよい。

トラックパッドやカメラでも署名できる

トラックパッドやカメラを選択して署名を作成

iPhoneやiPadを使わなくても、署名をトラックパッドで書いたり、白い紙にペンで書いたものをカメラに写してスキャンすることも可能だ。

1 プレビューアプリで署名ボタンをクリック

プレビューアプリでPDFを開いたら、上部のマークアップボタン→署名ボタンをクリックし、「iPhoneまたはiPad」画面に切り替える。

2 iPhoneやiPadで署名を手書きする

「デバイスを選択」をクリックしてiPhoneやiPad名を選択すると、そのデバイスで署名の作成画面が開くので、手書きで署名を入力しよう。

3 PDFの署名欄に手書き署名を挿入

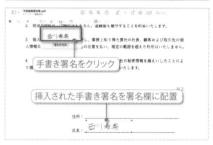

プレビューアプリの「署名」ボタンで作成した手書き署名を選択すると、PDFに署名が挿入される。あとはサイズを調整して署名欄に配置すればよい。

---

5 手書きメモをMacBookに取り込む

連係スケッチでイラストを挿入

作成中のメモやメールにiPhoneやiPadで描いた手書きのイラストを追加したい、という時に便利なのが「連係スケッチ」機能だ。たとえばメモアプリでは、メモを開いてメモ内を右クリックし、「iPhoneまたはiPadから読み込む」から連携するiPhoneやiPadを選んで、「スケッチを追加」をクリックすればよい。iPhoneやiPadでスケッチ作成画面が開き、描いたイラストをメモ内に挿入できる。

1 メモアプリでスケッチを追加をクリック

クリック。ツールバーのメディアボタンから「スケッチを追加」を選択してもよい

メモやメールアプリの右クリックメニューから「iPhoneまたはiPadから読み込む」→「スケッチを追加」を選択しよう。

2 iPhoneやiPadでイラストや図を描く

iPhoneやiPadでスケッチウインドウが開くので、指やApple Pencilでスケッチを描いたら「完了」をタップ。MacBookのメモ内にスケッチが挿入される

6 iPhoneやiPadの画面をMacBook上で録画する

QuickTime Playerで画面や音声を保存できる

　iPhoneやiPadの画面や音声を録画したい時は、MacBookのQuickTime Playerを利用すればよい。あらかじめMacBookとiPhoneやiPadをケーブルで接続しておき、QuickTime Playerを起動したら、「ファイル」→「新規ムービー収録」をクリック。収録ボタン横の「∨」をクリックしてiPhone名を選択すると、iPhoneの画面が表示される。あとは収録ボタンをクリックして録画しよう。

1 新規ムービー収録をクリック

Launchpadの「その他」からQuickTime Playerを起動し、「ファイル」→「新規ムービー収録」をクリックする。

2 iPhoneの画面を表示させて収録する

「スピーカー」欄でiPhone名が選択されていればiPhone上の音声が収録される。「マイク」欄でMacBook名を選択するとMacBookのマイクで自分の声などを収録できる

「画面」欄でiPhone名を選択

収録ボタン横の「∨」をクリックして「画面」欄のiPhone名を選択するとiPhoneの画面が表示される。あとは収録ボタンをクリックすると録画できる。

---

7 iPhoneの通信経由でMacBookをネット接続

Wi-FiがなくてもiPhoneの回線でネット接続できる

　外出先でMacBookをネット接続したい際にWi-Fiが使えないなら、iPhoneのInstant Hotspot機能を使ってインターネット共有（テザリング）しよう。iPhoneの回線契約でテザリングオプションに加入しており、iPhoneとMacBookで同じApple IDでサインインし、両方のデバイスでBluetoothとWi-Fiがオンになっていれば、iPhoneのモバイル回線を使ってMacBookをネット接続できる。パスワード入力も不要だ。

インターネット共有利用中は、Dynamic Islandにアイコンが表示されたり、時刻表示部分もしくはステータスバーが緑になる。データ通信の消費量を確認しつつ利用しよう。なお、MacBook側の接続操作で、iPhoneのインターネット共有は自動でオンになる

両デバイスを利用条件通りに設定し、iPhoneをMacBookの近くに置く。インターネット共有のバナーが表示された場合は、「接続」をクリックすればOK。そうでない場合は、メニューバーのWi-Fiアイコンをクリックし、表示されているiPhoneの名前を選択すればよい。Wi-Fiアイコンをクリックし、再度iPhoneの名前をクリックすれば接続が解除される

---

8 Androidスマホの通信経由でMacBookをネット接続

Wi-FiがなくてもAndroidの回線でネット接続できる

　iPhoneやiPadとの連携ではないが、Androidスマートフォンでも回線契約でテザリングオプションに加入していれば、Androidの通信経由でMacBookをネット接続できる。

　iPhoneのようにワンクリック接続とはいかないが、Android側でWi-Fiテザリングをオンにしてパスワードを設定。そのパスワードをMacBook側で入力するだけなので接続は非常に簡単だ。なお、Apple IDが異なるiPhoneの場合も、同様にインターネット共有で設定したパスワードを入力すればテザリング接続できる。

Apple IDが違うiPhoneで接続

MacBookとは別のApple IDを使っているiPhoneも、「設定」→「インターネット共有」で「ほかの人の接続を許可」をオンにし、"Wi-Fi"のパスワードを確認すれば同様の手順で接続できる。

ほかの人の接続を許可　　　　⬤

"Wi-Fi"のパスワード　　22222222 ＞

1 Androidスマホでテザリングをオン

Wi-Fiテザリング

Wi-Fiテザリングの使用　　⬤
オンにする

ネットワーク名
AQUOS sense6

セキュリティ
WPA2/WPA3 Personal

Wi-Fiテザリングのパスワード
●●●●●●●●

Wi-Fiテザリングを自動的に
タップして接続用のパスワードを確認。パスワードは自由に変更できる

Androidスマートフォンで「設定」のネットワーク関連項目にある「テザリング」→「Wi-Fiテザリング」を選択。「Wi-Fiテザリングの使用」をオンにしパスワードを確認しておく。

2 Wi-FiネットワークからAndroidスマホ名を探す

クリック

MacBookでメニューバーのWi-Fiアイコンをクリックし、表示されているAndroidスマートフォンの名前を探してクリックする。

3 パスワードを入力して接続をクリック

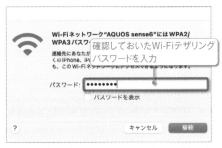

Wi-Fiネットワーク"AQUOS sense6"にはWPA2/WPA3パスワ...
確認しておいたWi-Fiテザリングパスワードを入力

連絡先にあなたが...
くのiPhone、iP...
も、このWi-Fiネ...

パスワード：●●●●●●●●
□ パスワードを表示

?　　　　　キャンセル　　接続

「Wi-Fiテザリング」の画面で確認したパスワードを入力し「接続」をクリックすれば、Androidスマートフォンの回線経由でMacBookをネット接続できる。

9 いざというときに備えてeSIMにサブ回線を契約しておく

povo2.0で必要な時だけ使い放題をトッピング

　MacBookを持ち歩くことが多いなら、iPhoneのeSIM（物理的なSIMカードなしで通信契約できる機能。iPhone XS以降に搭載）にサブ回線として、KDDIのオンライン専用プラン「povo2.0」を契約しておくのがおすすめだ。povo2.0は基本料金0円で契約でき、「トッピング」と呼ばれるオプションでデータ容量や通話かけ放題を必要な時に必要な分だけ追加するシステムになっている。しかもテザリングの利用料も無料だ。特にモバイルワークの強い味方となるのが「データ使い放題（24時間）」トッピングで、1回330円で24時間（原稿執筆時点では契約した翌日の23時59分59秒まで通信できるため最大48時間）データ通信が使い放題になる。出張や旅行の際は、このデータ使い放題トッピングを追加し、iPhoneのモバイルデータ通信回線をpovo2.0に切り替えよう。MacBookとiPhoneをインターネット共有（記事7で解説）しておけば、あとは通信量を気にする必要もなく、MacBookでクラウド上のファイルをダウンロードしたり動画や音楽をストリーミング再生で楽しめる。

1 povo2.0をeSIMで契約する

eSIMを選択して契約する

iPhoneでpovo2.0アプリを起動し、「povo2.0を申し込む」をタップしてアカウントを登録。SIMタイプは「eSIM」を選択して契約を進めよう。

2 データ使い放題のトッピングを購入

24時間データ使い放題のトッピングを購入

出張時などでMacBookをネット接続する際は、povo2.0アプリで「データ使い放題（24時間）」トッピングを購入しよう。なお、データ通信をpovoに切り替えて利用中もメイン回線での電話の発着信は問題なく行える。

3 データ通信をpovo2.0の回線に切り替える

モバイルデータ通信をpovo2.0に変更

あとはiPhoneの「設定」→「モバイル通信」→「モバイルデータ通信」をpovo2.0の回線に切り替えて、MacBookとインターネット共有すればよい。

POINT

povo2.0の回線を維持するための条件

povo2.0は基本料金0円で回線を契約でき、データ通信の容量を購入しなくても128kbpsで低速通信できるが、完全に無料のまま回線を維持できるわけではない。180日間以上課金がないと、利用停止になる場合があるので注意しよう。具体的には、180日に一度は有料トッピング（最安はsmash.使い放題パックの220円）を購入するか、180日間で通話やSMSの合計金額が660円を超えていればよい。

---

10 iPhone経由で電話を発着信する

iPhoneの回線を通して電話の発着信が可能

　MacBookでの作業中にiPhoneに電話がかかってきても、iPhoneをカバンから取り出して手に取る必要はない。MacBook側で「iPhoneからの通話」をオンにし、iPhoneで「ほかのデバイスでの通話」をオンにしてMacBook名のスイッチをオンにしておくことで、iPhoneに電話着信があるとMacBookの画面にも着信通知が表示され、そのまま応答して通話ができるのだ。また、MacBookからiPhoneを経由して電話を発信することもできる。これはiPhoneの回線を通しての通話なので、FaceTime通話と違って、相手がAndroidスマートフォンや固定電話でも問題なく発着信が可能だ。通話中にキーパッドを操作したり、ミュートにすることもできる。ただしこの機能を使っていると、iPhoneに電話がかかってくる度に、MacBookでも毎回着信音が鳴ってしまう。機能が不要であれば、MacBookとiPhoneのどちらかの設定をオフにしておこう。片方の機能がオフになっていれば、MacBookでiPhoneの電話が着信しなくなる。

1 MacBook側で必要な設定

iPhoneから通話

チェックする

MacBookでは「FaceTime」アプリを起動。メニューバーの「FaceTime」→「設定」→「一般」タブを開いたら、「iPhoneから通話」にチェックしておく。

2 iPhone側で必要な設定

オンにする

iPhoneでは「設定」→「電話」→「ほかのデバイスでの通話」→「ほかのデバイスでの通話を許可」をオンにし、iPhoneを経由して電話を発着信したいMacBook名のスイッチをオンにしておく。

3 MacBookでの電話の発着信

「iPhoneで通話」の電話番号を選択。発信すると、当然iPhoneも通話中の状態になる

MacBookからはFaceTimeアプリで発信する。「新規FaceTime」で電話番号を入力し、Returnキーを押してから、下矢印をクリックして電話をかける電話番号を選択しよう。

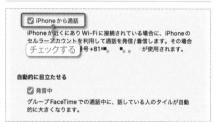

iPhoneに電話がかかってくると、MacBookの右上にも着信通知が表示される。「応答」をクリックすれば、電話に出て通話できる。電話を切るには「終了」をクリック

11 iPhoneのSMSをMacBookで送受信する

Androidスマートフォンともでやり取りできる

MacBookのメッセージは、基本的にiMessageを利用するためのアプリで、やり取りできる相手はiMessageを有効にしたiPhoneやiPad、Macに限られる。ただしiPhoneを持っており連携を有効にしていれば、iPhoneを経由して、AndroidスマートフォンにSMSやMMSでメッセージを送ることもできる。iPhoneの「設定」→「メッセージ」で「SMS/MMS転送」をタップし、MacBookのスイッチをオンにしておこう。MacBookでメッセージを起動して認証コードが表示される場合は、iPhone側でコードを入力して認証を済ませれば、MacBookでもiPhoneを通してSMSやMMSの送受信が可能になる。なお、メッセージのやり取りをMacBookとiPhoneで同期させるには、iPhoneのiCloud設定で「メッセージ」をオンにし、MacBookのメッセージの設定で「"iCloudにメッセージを保管"を有効にする」にチェックしておく必要がある。

1 iPhoneでSMSやMMSの転送を許可

オンにする。MacBookの画面にコードが表示された場合はコードを入力して認証する

iPhoneの「設定」→「メッセージ」で「SMS/MMS転送」をタップ。リストからMacBookのスイッチをオンにすれば、MacBookでSMSを送受信可能になる。

2 MacBookでメッセージを同期

チェックする。またiPhone側でもiCloud設定でメッセージを同期させておく

MacBookでは、メッセージの「設定」→「iMessage」タブで「"iCloudにメッセージを保管"を有効にする」にチェックしておくと、メッセージが同期される。

3 Androidスマホにメッセージを送信

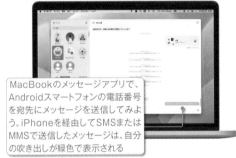

MacBookのメッセージアプリで、Androidスマートフォンの電話番号を宛先にメッセージを送信してみよう。iPhoneを経由してSMSまたはMMSで送信したメッセージは、自分の吹き出しが緑色で表示される

4 Androidスマホからのメッセージを受信

SMSで届いた返信メッセージも表示された

AndroidスマートフォンからSMSで届くメッセージも、このようにMacBookのメッセージアプリで受信して表示される。

---

12 iPhoneを使ってMacBookをロックする

MacBookから離れると自動でロックされる

ペアリングしたiPhoneとMacBookが一定以上の距離で離れるとMacBookを自動でロックし、近づくと自動でロックを解除してくれるアプリが「Near Lock」だ。まずはMacBookとiPhoneそれぞれでアプリのインストールを済ませ、画面の手順に従ってペアリングを設定しよう。Mac用のアプリは公式サイトからダウンロードしてインストールする必要がある。あとはNear Lockのスイッチをオンにして機能を有効にしておけば、iPhoneを持ってMacBookのそばを離れると自動でロックされるし、近づくとパスワード入力やTouch ID認証の必要もなく自動でロックを解除してくれる。自動ロックまでの距離も任意で設定できる。なお、バックグラウンドでも動作させるには、650円のPro版の購入が必要だ。

Near Lock
作者／Filip Duvnjak
価格／無料
入手先／https://nearlock.me/

1 MacBook側のアプリで各種設定を行う

クリック

新しいデバイスを追加

MacBookにNear Lockをインストールし、画面の指示に従って各種設定を済ませたら、「新しいデバイスを追加」をクリックしてiPhoneアプリの接続を待とう。

2 iPhone側のアプリとペアリングを済ませる

タップ

iPhoneにもNear Lockをインストールして起動すると、MacBookのパスワード入力を求められるので、入力して「接続」をタップしよう。これでペアリングが完了する。

3 Near Lockの機能を有効にする

オンにする

自動でロックする距離を設定

MacBookのメニューバーにNear Lockのアイコンが常駐し、クリックするとメニューが表示される。「Near Lock」をオンにすると機能が有効になる。

4 MacBookから離れると自動ロックされる

iPhoneを持ってMacBookから少し離れてみよう。自動で画面がロックされるはずだ。iPhoneを持ってMacBookに近づくと、自動でロックが解除される

13 Apple WatchでMacBookのロックを解除する

Apple Watchを装着しているだけでロックを自動解除

iPhoneやiPadとの連携ではないが、Apple Watchを身に着けていれば、MacBookに自動でログインすることもできる。まずAppleメニューの「システム設定」→「Touch IDとパスコード」を開き、「Apple Watch」欄のスイッチをオンにしておこう。あとはロックが解除されたApple WatchをMacBookに近づけるだけで、パスワード入力も不要でMacBookに自動ログインできる。

Apple Watchの自動ロック解除設定

オンにする

「システム設定」→「Touch IDとパスコード」→「○○のApple Watch」をオンにしておけば、Apple Watchを近づけるだけでMacBookにログインできる。

14 iPhoneやiPadの動画や音楽をMacBookで再生

AirPlay機能で手軽に出力できる

iPhoneのビデオや写真をMacBookの画面に映してみんなで楽しんだり、iPadで再生中の曲をMacBookのスピーカーに接続して聴きたい時は、AirPlay機能で簡単に出力が可能だ。

あらかじめAppleメニューの「システム設定」→「一般」→「AirDropとHandoff」で「AirPlayレシーバー」をオンにしておき、「AirPlayを許可」欄でAirPlayを許可するユーザを、「現在のユーザ」(同じApple IDでサインインしているデバイスのみ)や「同じネットワーク上のすべての人」「すべての人」から選択しておこう。

AirPlayレシーバーの設定

「システム設定」→「一般」→「AirDropとHandoff」で「AirPlayレシーバー」をオンにし、「AirPlayを許可」でAirPlayを許可するユーザの範囲を選択しておこう。

AirPlayを許可する相手を設定

写真アプリでAirPlay出力する

写真アプリでは、MacBookで表示したい写真やビデオを開いて共有ボタンをタップし、「AirPlay」を選択することでMacBookの画面に出力できる。

ミュージックアプリでAirPlay出力する

ミュージックアプリでは、再生画面などにある「AirPlay」ボタンをタップしてMacBookの名前を選択すればよい。MacBookのスピーカーで再生される。

15 MacBookのSiriにiPhoneを探してもらう

「iPhoneを探して」でサウンドを鳴らしてくれる

自宅にいるのにうっかりiPhoneをどこかに置き忘れてしまって見当たらない、といった場合はMacBookのSiriに頼んで探してもらおう。Siriを起動して「iPhoneを探して」と伝えると、iPhoneで徐々に大きくなるサウンドを再生して場所を知らせてくれる。かなり大きな音量で再生されるので、iPhoneが見つかったらすぐに音量ボタンか電源ボタンを押そう。サウンドを消音できる。

1 「iPhoneを探して」とSiriに伝える

iPhoneが見当たらない時は、Siriに「iPhoneを探して」と頼んでみよう。Siriが近くにあるiPhoneを見つけ出してサウンドを再生する。

2 iPhoneが見つかったら音量ボタンなどで消音

iPhoneからサウンドが大音量で鳴り響く。iPhoneが見つかったら音量ボタンか電源ボタンを押すことでサウンドを消音できる

041

iCloud

「"デスクトップ"フォルダと"書類"フォルダ」をオン
デスクトップのファイルを
iPhoneやiPadからも利用する

デスクトップと書類を
iCloudで同期させよう

　MacBookのファイルを主にデスクトップで管理しているなら、iCloud Driveの設定で「"デスクトップ"フォルダと"書類"フォルダ」を有効にしてみよう。iCloud Driveに「デスクトップ」と「書類」フォルダが作成され、MacBookのローカルフォルダに置き換わってiCloudのフォルダが「デスクトップ」と「書類」の本体になる。MacBook上でデスクトップや書類フォルダにファイルを作成すれば、特に意識しなくても自動的にiCloud Driveに保存されるのだ。デスクトップのファイルが常にiCloudと同期するので、iPhoneやiPadのファイルアプリでMacBookのデスクトップにあるファイルを開いて編集したり、WindowsパソコンでもWebブラウザでiCloud.com（No008で解説）にアクセスしてMacBookのファイルを扱うことができる。Windowsの場合は「Windows用iCloud」をインストールしておけば、エクスプローラから手軽にiCloudのデスクトップや書類フォルダを開くことも可能だ。ただし、デスクトップと書類フォルダのファイルを丸ごとiCloudに保存するので、iCloudのストレージ容量を圧迫しがちだ。iCloudの空き容量が足りない時は、容量を追加購入するか機能をオフにしておこう。

デスクトップや書類をiCloudで同期する

1 iCloudの同期機能を有効にする

「システム設定」で一番上のApple IDをクリックし、「iCloud」→「iCloud Drive」をクリック。「"デスクトップ"フォルダと"書類"フォルダ」をオンにする。

2 デスクトップにあったファイルが移動する

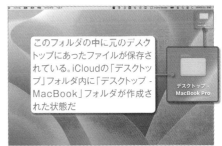

デスクトップ上に元々あったファイルは、デスクトップ上に新しく「デスクトップ - MacBook」といった名前のフォルダが作成され、その中にまとめて保存される。

3 通常通りデスクトップにファイルを置く

「デスクトップ - MacBook」の中身を出したら、あとは作業中のフォルダを置いたり、添付ファイルを保存したり、デスクトップを同期前と同じように利用できる。

4 デスクトップのファイルがiCloudに保存される

今後はデスクトップ上や「書類」にファイルを置いた場合、そのファイルの保存先はiCloud Driveになる。ファイルを削除するとiCloud上からも消える。

5 iPhoneやiPadでデスクトップのファイルを開く

iPhoneやiPadからは、「ファイル」アプリでiCloud Driveにアクセスできる。「デスクトップ」や「書類」フォルダを開くと、MacBookで保存したファイルを確認できる。

6 iCloud.comからもアクセスできる

会社のWindowsパソコンなどから操作したい時は、WebブラウザでiCloud.comにアクセスし、アプリ一覧から「Drive」をクリックして開けばよい。

7 iCloudストレージの容量を増やすには

iCloudの容量が足りなくなったら、「システム設定」でApple IDを開いて「iCloud」→「管理」をクリック。「さらにストレージを購入」をクリックすれば容量を買い足せる。

WindowsのエクスプローラーでiCloudにアクセスする

1 Windows用iCloudをインストール

Windows用iCloud
作者／Apple
価格／無料
入手先／https://support.apple.com/ja-jp/HT204283

インストールしたらApple IDでサインインを済ませよう

Windowsから、iCloud.com経由ではなくエクスプローラーで手軽にMacBookのデスクトップにアクセスしたい場合は、まず「Windows用iCloud」をインストールする。

2 iCloud設定を開いてiCloud Driveにチェック

チェックして「適用」をクリック

タスクバーに常駐するiCloudアイコンなどから設定画面を開き、「iCloud Drive」にチェックして「適用」をクリック。「オプション」で保存先フォルダの場所を変更できる。

3 エクスプローラーからiCloudにアクセスする

デスクトップは「Desktop」フォルダを、書類は「Documents」フォルダを開くと、MacBookに保存されているファイルにアクセスできる

エクスプローラーに「iCloud Drive」が追加されているのでクリックしよう。iCloud Driveのファイルが同期されており、MacBookのデスクトップや書類のファイルにもアクセスできる。

デスクトップと書類の同期を無効にする場合の注意点

1 iCloudの同期機能を無効にする

「システム設定」で一番上のApple IDをクリックし、「iCloud」→「iCloud Drive」で「"デスクトップ"フォルダと"書類"フォルダ」をオフにする

iCloudの空き容量が足りない場合などにデスクトップと書類のiCloud同期を停止したくなったら、「"デスクトップ"フォルダと"書類"フォルダ」のスイッチをオフにすればよい。

2 デスクトップや書類フォルダが新規作成される

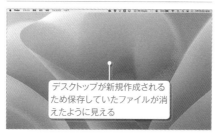

デスクトップが新規作成されるため保存していたファイルが消えたように見える

機能をオフにすると、「デスクトップ」と「書類」フォルダが新しく作成されるため保存していたファイルが消えたように見えるが、心配はいらない。ファイルはすべてiCloud Driveに残っている。

3 iCloud Driveからファイルを戻す

iCloud Driveのデスクトップフォルダの中身をデスクトップにドラッグ&ドロップしてコピーする。iCloud Driveのファイルは不要なら削除してかまわない

iCloud Driveに残っている「デスクトップ」と「書類」フォルダを開き、中のファイルをデスクトップや書類フォルダにコピーすれば、元の環境に戻る。

エイリアス機能で特定のフォルダだけiCloudと同期する

1 iCloud Driveのフォルダでエイリアスを作成

iCloud Driveに同期用のフォルダを作成し、右クリックメニューから「エイリアスを作成」をクリック

デスクトップを丸ごと同期するのではなく、デスクトップ上の特定のフォルダだけiCloudと同期させるには、まずiCloud Drive内に作成した同期用のフォルダのエイリアス（No020の記事9で解説）を作成しよう。

2 作成したエイリアスをデスクトップに移動

iCloudフォルダのエイリアスをデスクトップに移動

作成したiCloud Driveの同期用フォルダのエイリアスを、ドラッグ&ドロップでデスクトップに移動する。あとは、iCloudで同期したいファイルだけこのエイリアスフォルダに保存すればよい。

3 他のデバイスからファイルにアクセスできる

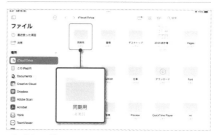

デスクトップ上のエイリアスフォルダに保存したファイルの本体はiCloud Driveにあるため、iPhoneやiPadからアクセスしたり、iCloud.comで開くことができる。

POINT

Dropboxの自動バックアップを利用する

MacBookでDropboxを利用しているなら、MacBookのデスクトップや書類、ダウンロードフォルダをDropboxに自動バックアップすることもできる（Dropbox Backup機能）。iCloudによる同期と比べると、Dropboxに保存されたファイルはAndroidスマートフォンなどからもDropboxアプリで手軽にアクセスできるほか、Windowsのデスクトップも同期できる点がメリットだ。

Dropbox
作者／Apple
価格／無料
入手先／https://www.dropbox.com/desktop

042

サブ
ディスプレイ

「Duet Air」でMacBookの画面をWindowsに出力
Windowsパソコンを
サブディスプレイとして利用する

Windowsの画面を
MacBookの作業スペースに

MacBookには、iPadをサブディスプレイとして利用できる「Sidecar」(No036で解説)という便利な機能が搭載されているが、これはiPadとの組み合わせでしか利用できない上に、対応モデルも限られる。iPad以外のデバイスのディスプレイをMacBookのサブディスプレイとして活用したいなら、「Duet」を利用してみよう。DuetならiPadはもちろん、iPhoneやAndroidスマートフォン、Windowsの画面もMacBookのサブディスプレイとして接続することができる。ただしWindowsと接続するには、ワイヤレス接続が可能な「Duet Air」プランをサブスクリプション契約(48ドル／年)する必要がある点に注意しよう。

Duet AirでWindowsをサブディスプレイとして使う手順

1 Duetアプリの初期設定を行う

Duet
作者／Duet, Inc.
価格／無料
入手先／https://ja.duetdisplay.com/

MacBookとWindowsで、それぞれDuetアプリをインストール。起動すると必要な機能の許可が求められるので、初期設定を済ませていこう。

2 アカウントを作成してサインイン

> クリックしてアカウントを作成

続けてサインイン画面が表示される。「アカウントを作成する」でアカウントを作成しサインインを済ませよう。Windows側でもサインインしておく。

3 Duet Airの登録を済ませる

> クリックしてDuet Airをサブスクリプション契約

アカウントを作成したら、「Duet Air」のサブスクリプション登録(48ドル／年)を済ませる。初回は1週間無料で試用できる。

4 Duet Airを有効にするにチェック

> チェックする

> ☑ Duet Airを有効にする

MacBookとWindowsのDuetアプリで、それぞれ「設定」画面を開いて「Duet Airを有効にする」にチェックしておく。

5 Windows側のDuetアプリで接続を開始

> 「伸ばす」はMacBookの画面の延長領域としてWindowsの画面を使う。「ミラー」はMacBookと同じ画面をWindowsの画面にも表示する

Windows側のDuetアプリで「デスクトップ」画面を開くと、同一ネットワークのMacBook名が表示されるので、選択して「伸ばす」か「ミラー」をクリック。

6 Windowsの画面をサブディスプレイ化できる

Windowsの画面をMacBookのサブディスプレイとして利用できるようになった。「伸ばす」で接続した場合、MacBookの右端の画面がWindowsの左端の画面とつながり、MacBookのトラックパッドで操作してポインタを行き来できる。それぞれのディスプレイで別のウインドウを開き、画面を広く使って作業しよう。

MacBook

Windows

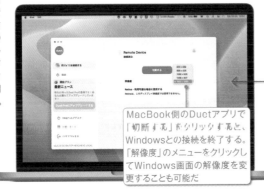

> MacBook側のDuetアプリで「切断する」をクリックすると、Windowsとの接続を終了する。「解像度」のメニューをクリックしてWindows画面の解像度を変更することも可能だ

> Windowsの画面に表示されたアプリやファイルは、Windows側のトラックパッドやマウスでも操作できるが、MacBook側にポインタを移動することはできない

043
光学ドライブ

光学ドライブのないMacBookでDVDやCDを使う方法
他のパソコンの光学ドライブを MacBookから利用する

光学ドライブは他の パソコンから借りよう

最近のMacBookは光学ドライブが非搭載なので、DVDに保存しておいた古いファイルが必要になった際に読み取れず困ることがある。別途ポータブルDVDドライブを用意してMacBookに接続するのが最も簡単で確実な解決法だが、ポータブルDVDが手元になくても、光学ドライブを内蔵したWindowsパソコンなどがあれば、Windowsパソコンの光学ドライブを借りて中のデータを読み取れるので覚えておこう。Windows側で光学ドライブの共有設定を済ませ、MacBook側ではFinderの「ネットワーク」画面から光学ドライブにアクセスすれば、メディアの中身を表示できる。ただし、DVDビデオや音楽CDなどを再生することはできない。

Windowsの光学ドライブを共有設定する

1 光学ドライブの 詳細な共有をクリック

まずはWindowsで光学ドライブの共有設定を行う。光学ドライブを右クリックして「プロパティ」を開き、「共有」タブの「詳細な共有」をクリック。

2 フォルダを共有して アクセス許可をクリック

詳細な共有画面で、上部の「このフォルダーを共有する」にチェックする。続けて「アクセス許可」ボタンをクリックしよう。

3 アクセス許可の種類を チェックする

アクセス許可の欄は、ディスク内容を読み取るだけなら「読み取り」の「許可」のみにチェックして「OK」をクリック。これで光学ドライブの共有準備が整った。

ディスクを読み取るだけなら「読み取り」のみチェック。ディスクに変更を加えるなら「変更」にもチェックすればよい

4 Finderのネットワーク 画面を開く

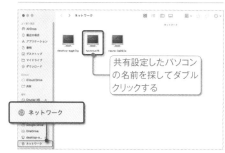

MacBookでFinderのサイドバーから「ネットワーク」画面を開き、共有設定を済ませたWindowsパソコンの名前を探してダブルクリックしよう。

5 別名で接続を クリック

「未接続」と表示されていれば、右上の「別名で接続」をクリックし、続けて表示される画面で「接続」をクリックする。

6 Windowsパソコンに 接続する

「登録ユーザ」にチェックした状態で、MicrosoftアカウントなどWindowsパソコンのログインユーザ名とパスワードを入力し「接続」をクリックする。

7 共有した光学ドライブが 表示される

ドライブパスが「E:」の光学ドライブを共有していれば、「E」という名前のフォルダが表示される。これをダブルクリックしてアクセスしよう。

8 光学ドライブに挿入した メディア内容が表示された

光学ドライブの内容が表示され、ドラッグ&ドロップしてMacBookにコピーできる。DVDビデオや音楽CDの再生はできない。

044

ゲーム

MacBookでもSteamのゲームを楽しもう

SwitchやPS5のコントローラーをMacで利用する

Bluetoothでペアリングして利用できる

　MacBookでは、Nintendo Switchのコントローラー「Joy-Con」や、PS5のコントローラー「DualSense」を接続して、コントローラー操作に対応するゲームを遊ぶことが可能だ。あらかじめMacBookの「システム設定」→「Bluetooth」をオンにしておき、コントローラ側でBluetoothのペアリング設定を行おう。他に、「Nintendo Switch Proコントローラー」や、PS4の「DUALSHOCK 4」、「Xbox ワイヤレスコントローラー」なども接続できるので、それぞれ公式サイトなどでペアリング方法を調べよう。接続したコントローラで遊ぶゲームは、App Storeから探すほかにも、PCゲーム配信プラットフォーム「Steam」でも探してみよう。Steamで配信されているゲームはほとんどがWindowsのみの対応だが、比較的軽めのゲームならmacOSに対応しており、MacBookでも問題なく楽しめる。Windowsにしか対応していないゲームも、Parallels Desktop（No003で解説）を利用すればMacBook上でプレイすることが可能だ。

MacBookにコントローラーを接続する

プレイヤーランプが
点滅するまで長押し

2つのボタンを中央
のライトバーが点滅
するまで長押し

SwitchのJoy-Conを接続する手順

Joy-Conの側面中央にある「シンクロボタン」を、ボタン横のプレイヤーランプが点滅するまで長押しする。あとはMacBookで「システム設定」→「Bluetooth」を開き、表示されるJoy-Conの名前にポインタを合わせて「接続」をクリックする。左右2本のJoy-Conを接続したい場合は、同様の接続手順をもう一方のJoy-Conで行う。

PS5のDualSenseを接続する手順

DualSenseの「クリエイト」ボタンと「PS」ボタンを、中央のライトバーが点滅するまで同時に長押しする。あとはMacBookで「システム設定」→「Bluetooth」に表示されるDualSenseの名前にポインタを合わせて「接続」をクリックすればよい。

Steamのゲームをコントローラで楽しむ

1 Steamアプリをインストールする

Steam
作者／Valve Corporation
価格／無料
入手先／https://store.steampowered.com/?l=japanese

クリック

Steamの公式サイトにアクセスしたら、画面上部の「Steamをインストール」をクリック。続けて「Steamをインストール」をクリックしてインストールする。

2 Steamアカウントでサインイン

Steamアカウントがない場合はここをクリックして新規作成する

Steamのアカウント名とパスワードを入力してサインインする。Steamのアカウントがないなら、右下の「Create a Free Account」から作成しておこう。

3 SteamのゲームをMacBookで楽しむ

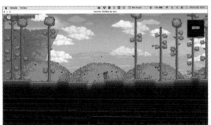

あとはmacOS対応ゲームを探し、購入とインストールを済ませれば、接続したコントローラで操作してゲームを楽しめる。

POINT

MacBookで
遊べる
ゲームを探すには

Steamアプリでゲームを検索した際に、タイトルにAppleのマークが表示されていれば、そのゲームはmacOSに対応している。macOSの対応タイトルのみを絞り込んで検索することも可能だ。購入済みのゲームでmacOS対応のものを探すには、LIBRARY画面の検索欄横にあるAppleマークをクリックしてオンにすればよい。

検索時に「macOS」に
チェックするとmacOS対
応ゲームを絞り込める

BESTアプリ&
良品アクセサリ

MacBookのアプリはなかなか良いものを見つけにくい…
といったユーザーも多いはず。ここでは、各種ジャンルの人気も
実力も伴ったベストアプリをセレクト。また、機能性と品質が揃った
買って間違いのない良品アクセサリも一挙紹介する。

045

日本語入力

最新の語句に対応する先進的な日本語入力システムを使う
文字入力をGoogle 日本語入力に変更しよう

macOS標準の日本語入力が使いにくいときに試そう

　macOS標準の日本語入力システムが使いずらいと感じた人は、他社製の日本語入力システムも試してみよう。代表的なものは「Google日本語入力」が挙げられる。Webサイトなどで使われる膨大な語彙から辞書を作成しているので、最新ニュースのキーワードや珍しい人名、流行っている店名、ネットスラングなどをスムーズに変換できるのが特徴。堅苦しいビジネス文章だけでなく、SNSで用いるような砕けた表現にも対応しているので使いやすい。入力ミスを正しい文字に補完してくれる機能もあり、文字入力が効率化できる。

Google日本語入力
作者／Google
価格／無料
入手先／https://www.google.co.jp/ime/

Google日本語入力をインストールして設定する

1 Google日本語入力をインストールする

有効にする

この画面では「有効にする」選んでおくこと

まずは、Googleの公式サイトからGoogle日本語入力をダウンロードして、インストールしよう。なお、MacBookの環境によっては、以降の手順でGoogle日本語入力の入力ソースを手動で有効にしておく必要がある。

2 システム設定で入力ソースの設定をする

編集...

システム設定の「キーボード」を開く

「システム設定」の「キーボード」を開き、「テキスト入力」の「入力ソース」欄にある「編集」をクリック。

3 入力ソースを確認して追加する

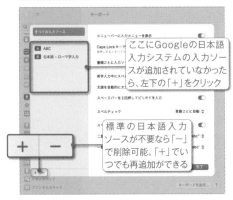

ここにGoogleの日本語入力システムの入力ソースが追加されていなかったら、左下の「+」をクリック

標準の日本語入力ソースが不要なら「−」で削除可能。「+」でいつでも再追加ができる

入力ソース一覧を確認し、Googleの日本語入力システムが追加されていなかったら、画面左下の「+」をクリックして追加しておこう。

4 Google日本語入力の入力ソースを追加しておく

入力ソースを選択して「追加」をクリック

「日本語」から追加するGoogle日本語システムの入力ソース（青いアイコン）を選ぶ。「ひらがな（Google）」と「全角英数（Google）」は最低限追加しておこう。

5 日本語入力システムを切り替える

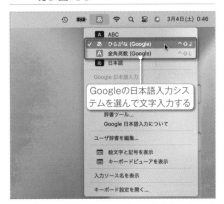

Googleの日本語入力システムを選んで文字入力する

インストールが終わったら、ステータスメニューの日本語入力アイコンをクリック。Google日本語入力システムの入力ソースに切り替えて文字入力してみよう。

POINT　仕事で文章を書く人には ATOKがおすすめ

プロのライターなどによく使われているATOKは、現時点で最も優れた日本語入力システムだ。他社アプリの追随を許さない高い変換精度はもちろん、日本語表現の間違いを指摘してくれたり、言葉の別の表現を提案してくれたりなど、使うだけで自分の文章力がアップするような機能が魅力となっている。月額課金制のサブスクリプションサービスで、プレミアムプランであればMac版だけでなく、Windows版、Android版、iOS版も使うことが可能だ。

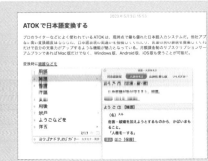

ATOK for Mac（ATOK Passport）

作者／ジャストシステム
価格／ベーシックプラン月額330円（税込）、プレミアムプラン月額660円（税込）、年額7,920円（税込）
入手先／https://www.justsystems.com/jp/products/atokmac/

046
メールアプリ

効率的にメールを管理できる最強のメールアプリ
IMAP専用メールアプリなら Sparkがおすすめ

メールの自動送信や共同編集機能などを搭載

「Spark」は、最先端のメール管理機能を搭載したIMAP対応のメールアプリだ。複数のメールアカウントを一括管理でき、すべての受信メールは「受信トレイ」に集められる。同時に、個人用、メールマガジン、通知などのグループに自動で振り分けられ、重要だと判断されたメールは受信トレイ上部に表示される仕組みだ。そのため、効率的なメールチェックが可能となっている。macOS標準のメールアプリだと全メールアカウントで通知が行われるが、Sparkならメールアカウントごとに通知設定が可能。重要なメールのみ通知してくれる「スマート通知」機能も搭載している。また、チーム機能により、複数メンバーで新規メールを共同編集したり、受信したメールを共有してチャットで相談したりなどが手軽に可能だ。

Spark
作者／Readdle Technologies Limited
価格／無料
入手先／ App Store

POPによるメール受信には対応していない

Sparkは、IMAPに対応したメールアカウントのみ受信可能だ。IMAPは、メールをサーバー上で管理する方式。POPによるメール受信は行えないので注意しよう。

メールの管理を効率化できる便利機能

1 重要な未読メールが受信トレイ上部に表示される

Sparkでは、重要な未読メールのみが受信トレイ上部に表示され、既読メールは下部に集まるようになっている。また、メールの内容によって「重要」や「通知」、「メールマガジン」などのグループに自動で仕分けされるため、効率的にメールチェックが可能だ。確認や返信などの対応が完了したメールは、「アーカイブ」ボタンでアーカイブ状態にしておこう。

2 重要なメールだけに通知するスマート通知を有効にする

設定の「通知」画面では、メールアカウントごとの通知設定が行える。「メール」でアカウントを選び、「スマート」を選択すれば、重要なメールのみが通知される。

3 テンプレート機能でメール作成を効率化

設定の「テンプレート」画面では、よく使うメールの文章をテンプレートとして保存しておける。テンプレートは、メール作成画面からすぐに呼び出すことが可能だ。

複数メンバーでメールを管理できるチーム機能

1 チームを作成してメンバーを招待する

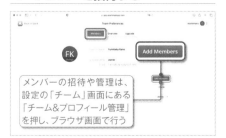

メールの共同編集やチャットを行うには、新しいチームを作成しよう。アプリケーションメニューの「Spark」→「チーム」から作成可能だ。「チーム&プロフィール管理」からメンバーも招待しておこう。

2 新規メールを共同編集してみよう

メールの新規作成画面を開いたら、画面右上の「共有」ボタンをクリック。「チーム全体」を選べば、チームメンバーで共同編集が可能だ。画面右側にはチャット欄も用意されており、相談しながら文面を考えられる。

3 メールアカウントをチームで共有する

設定の「アカウント」では、メールアカウントをチームで共有することが可能だ。support@、contact@などのメールアドレスをメンバーで共有したいときに最適。なお、この機能はGmailのみに対応している。

047

文書作成

ドキュメント作成アプリ「Craft」で見栄えのいい文書を作ろう
スマートに情報を
管理できるノートアプリ

ブログ記事などの長文を効率よく作成、共有できる

「Craft」は、美しい見た目の文書を作成し、簡単に共有できるクラウド型ドキュメント作成ツールだ。ドキュメント内にはテキストだけでなく、画像や動画、PDFなどを挿入することが可能。また、段落を「ブロック」として扱い、ブロックを別ページにリンクさせたり、ブロックをグループ化させたりなど、ユニークな機能も搭載されている。これなら、文書を効率よく構造化しながら編集することが可能だ。作成したドキュメントは、そのままWebサイト（シークレットリンク機能）で共有、PDFやHTMLメール形式で出力できる。日常のメモやアイディアをまとめたり、ブログやメールマガジンなどの文書執筆作業に使ったりなど、さまざまなシーンで活躍するはずだ。

Craft
作者／Luki Labs Limited
価格／無料（プロ版は月額580円／年額4,800円）
入手先／App Store

無料版は各種制限がある

Craftには、無料版とサブスクリプションサービスのプロ版が用意されている。無料版の場合、1チームに対して1つのスペースまでしか作れず、ストレージ容量やアップロード容量、AIアシスタントの使用回数など、さまざまな制限があるので注意が必要だ。

Craftで文書を作成してみよう

1 アプリを起動して新規ドキュメントを作成する

「＋」→「新しいドキュメント」を選択する

Craftを起動してサインインすると、過去に作成したドキュメント一覧が表示される。新規ドキュメントを作成するには、右上の「＋」→「新しいドキュメント」を選ぼう。

2 サイドバーなどからスムーズにスタイルを変更できる

テキストを選択、またはサイドバーを表示すると、スタイルの編集やコンテンツの挿入、ページ設定などが行える。マークダウン記法によるスタイル編集にも対応。

3 複数のブロックをグループ化でまとめる

複数のブロック（段落）を選択し、右クリック→「グループ」でまとめることが可能だ。グループをダブルクリックするとまとめた各ブロックが表示されるようになる。

効率的に文書を管理できる各種機能を試してみよう

1 ブロックごとに別ページでコンテンツを追加できる

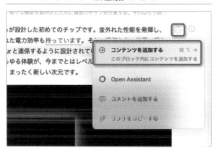

ブロックごとの右端にある「…」ボタンから、別ページにコンテンツを追加してリンクできる。別ページに詳細を記載しておきたいときなどに便利。

2 AIによるアシスタント機能で文書の要約や翻訳ができる

「command」＋「Return」キーでアシスタント機能の起動

「command」＋「Return」キーでAIアシスタント機能が使える。選択しているブロックの要約や翻訳など、さまざまな処理を任せることが可能だ。

3 チームメンバーを招待する

「○○のスペース」をクリックし、「○○のチーム」・「チームメンバー」・「人を招待する」でメンバーを招待できる

上のように人を招待することにより、チームで文書を管理することも可能だ。ただし、無料版の場合は、1つのチーム内に1つのスペースしか作れない。

048

洗練されたデザインの壁紙やウィジェットを並べてみよう

デスクトップを自分仕様に
カスタマイズする

好きなテーマを作って
いつでも切り替えられる

「Hologram Desktop」は、デスクトップをカスタマイズできるアプリだ。好きな壁紙と独自のウィジェットを組み合わせて「テーマ」を作成し、いつでも気分に合わせて切り替えられるのが特徴。壁紙は「Unsplash」や「Pixabay」などの海外画像サイトを検索してダウンロードが可能だ。ウィジェットは本アプリ独自仕様のもので、デザイン性が高く、時計や天気予報、システム情報など、実用性とデザイン性に優れたものが多数用意されている。なお、無料版では壁紙のダウンロード回数や使えるウィジェット数などに制限がある。アプリが気に入ったら、サブスクリプションサービスのPRO版にアップグレードしておこう。

Hologram Desktop
作者／IdeaPunch
価格／無料(PRO版は月額500円
／年額2,500円)
入手先／App Store

Hologram Desktopでテーマを作成してみよう

1 アプリを起動してテーマを変更してみよう

テーマ画面を表示

適用したいテーマをクリックする

アプリをインストールして起動したら、まずはテーマの変更をしてみよう。テーマとは壁紙とウィジェットがセットになったものだ。アプリ画面の左端からテーマ画面を表示し、好きなテーマを選んでクリック。これですぐにデスクトップにテーマが適用される。

2 新しいテーマを作成して壁紙をダウンロードする

テーマに適用したい壁紙をクリック。無料版は5回までダウンロードが可能だ

テーマを自分で作成する場合は、画面の右上にある「+」をタップ。「Discover Wallpapers」をクリックして、キーワード検索などで好きな壁紙を見つけよう。

3 テーマにウイジェットを追加する

Add Widget

ウィジェットを追加

テーマに壁紙を適用したら「Add/Edit Widets」をクリック。画面右上の「Add Widget」でウィジェット一覧を表示し、好きなものをクリックして配置しよう。

4 ウィジェットの設定を行う

歯車マークをクリック

配置したウィジェットにポインタを合わせて、左上にある歯車マークをクリック。ウイジェットごとにデザインや動作などの設定が行える。

5 ウィジェット一覧からウィジェットを追加

ウィジェット画面を表示

ウィジェットは、アプリのウィジェット画面からも追加できる。ウィジェット画面を表示したら、好きなウィジェットをクリック。「Add To Theme」で現在のテーマにウィジェットを追加しよう。なお、「PRO」マークが付いているものは、月額／年額課金のPRO版で使えるウィジェットだ。

カレンダーやリマインダーの設定を許可しておこう

アプリケーションメニューの「Hologram Desktop」→「Settings...」で設定画面を開き、「Permissions」画面を開こう。カレンダーやリマインダー系のウィジェットを使う場合は、それぞれの「Allow Access」をクリックしてアクセスを許可しておくこと。

049

MacBookをより便利にする人気アプリを一挙紹介

まずはインストールしたい
おすすめアプリ集

1 トラックパッドのドラッグ&ドロップ操作をより快適にする

ドラッグ&ドロップした項目や
データを一時的に保管する

「Yoink」は、フォルダやウインドウ、操作スペース間でのドラッグ&ドロップ操作がスムーズに行えるようになるユーティリティアプリだ。Yoinkを起動した状態でファイルをドラッグすると、画面左端に小さなウインドウが表示される。ここにファイルをドロップすると一時的に保管することが可能だ。あとは移動先やコピー先のフォルダやウインドウを表示して、ファイルをドラッグ&ドロップすればいい。トラックパッドのドラッグ&ドロップ操作による移動やコピーがとてもやりやすくなるので、ぜひ導入しておこう。

Yoink
作者／Matthias Gansrigler
価格／1,200円
入手先／App Store

1 ファイルやフォルダをドラッグして Yoinkのウインドウにドロップ

ファイルやフォルダを
ドラッグ&ドロップする

Yoinkをインストールして起動したら、ファイルやフォルダをドラッグしてみよう。画面左端にYoinkのウインドウが表示されるので、そこにドラッグ中の項目をドロップ。すると、その項目が一時的に保管される。なお、複数のファイルやフォルダをドラッグ&ドロップすると、自動で1つの項目としてスタックしてくれる。まとめて複数の項目を移動したいときにも便利だ。

2 一時保管した項目を 移動もしくはコピーする

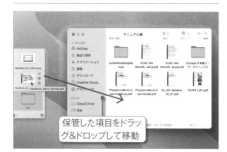

保管した項目をドラッグ&ドロップして移動

次に移動先のフォルダを開き、Yoinkのウインドウから項目をドラッグ&ドロップして移動しよう。「option」キーを押しながらドラッグすれば項目のコピーも可能だ。

3 ドラッグできるものなら 何でも一時保管&移動できる

テキストや画像も
一時保管できる

Yoinkでは、ファイルやフォルダ以外にも、ブラウザで表示しているテキストや画像など、ドラッグ&ドロップできる項目であれば一時保管が可能だ。

4 操作スペース間での ドラッグ&ドロップも楽になる

フルスクリーン表示中のアプリでもYoinkが表示される

Youinkを使えば、別々の操作スペース間で項目を移動させたいときもスムーズに操作できる。フルスクリーン表示中のアプリでも利用可能だ。

POINT

iPhoneやiPadと
連携するとさらに便利に

Yoink
作者／Matthias Gansrigler
価格／900円
入手先／App Store
※iOS用アプリ

Yoinkは、iOS版のアプリも公開されている。これを利用すれば、Yoinkに一時保管している項目をiPhone、iPad、Mac間でやり取りすることが可能だ。データの送受信にはHandoffを利用する。たとえば、iPadからMacに項目を送るには、iPadでYoinkを起動し、MacのDockに表示されたYoink（Handoffで表示されたもの）を起動して取り込めばいい。なお、iPad版YoinkはSplit Viewに対応しており、他のアプリから項目をドラッグ&ドロップしやすくなっているのも特徴だ。

Handoffで表示されたYoinkのアイコンを起動し、iOS端末からMacに項目を取り込む

iOS側でYoinkを起動すると、MacのDockにHandoffでアイコンが表示される。これを起動して必要な項目を取り込もう。

2 豊富なウィジェットが用意された見やすいカレンダーアプリ

標準カレンダーや
リマインダーと同期して使える

　macOS標準のカレンダーアプリは、デザインや機能がシンプルで使いやすいが、予定をしっかり管理しようとすると、機能的に色々と物足りなく感じることが多いのではないだろうか。そんな人は「FirstSeed Calendar」を使ってみよう。macOS標準のカレンダーやリマインダーと同期し、「日曜日の夜7時に食事」といった自然言語でのスピーディな予定入力に対応しているのが特徴。毎日のイベントやタスクを効率よく一括管理できる。さまざまなサイズや表示形式のウィジェットも用意されており、通知センターからカレンダーやリマインダーの内容をさっと確認できるのも魅力だ。もちろん、iCloudカレンダーやGoogleカレンダーなど各種カレンダーサービスとも同期が可能。iPhoneやiPad、Apple Watch用のアプリも登場しているので、気になる人はそちらもチェックしてみるといい。

FirstSeed Calendar
作者／FirstSeed Inc
価格／3,200円
入手先／App Store

1 自然言語で予定を素早く追加できる

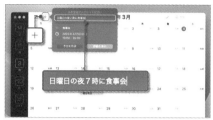

日曜日の夜7時に食事会

アプリを起動したら、「＋」ボタンを押してカレンダーに予定を追加してみよう。「日曜日の夜7時に食事」といったように、自然言語で予定を素早く追加できる。

2 リマインダー機能も搭載している

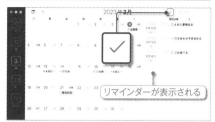

リマインダーが表示される

画面右上のチェックマークをクリックすれば、画面右側にリマインダー機能が表示される。リマインダーを追加するには、右クリックして「新規リマインダー」を選ぼう。

3 ウィジェットを追加してみよう

メニューバーの日付をクリックして通知センターを表示し、「ウィジェットを編集」から選べる

さまざまなサイズや種類のウィジェットが用意されているのも特徴だ。通知センターを表示して「ウィジェットを編集」で「FirstSeed Calender」から設定しよう。

POINT

Googleカレンダーなどを同期したい場合は？

Googleカレンダーなど、外部のカレンダーサービスを追加したい場合は、「システム設定」→「一般」→「インターネットアカウント」→「アカウントを追加」で登録したいカレンダーサービスをあらかじめ登録しておこう。

---

3 PDFに手書きメモや注釈を自由に挿入できる

PDFの書類や資料を
編集して書き出せる

　「PDF Viewer Pro」は、PDFに注釈を挿入したり、手書きメモを書き込んだりできるアプリだ。無料のPDF編集アプリの中でもトップクラスに操作性が高く、必要十分な編集機能が用意されているのが特徴。たとえば「注釈」ボタンでは、テキストのハイライトやテキスト入力、フリーハンドでの描画、各種図形の挿入など各種注釈ツールが利用できる。また、「書類エディタ」ボタンでは、ページの削除や回転、抽出などが可能だ。もちろん、編集したPDFは共有ボタンからAirDropやメール、メッセージなどで共有したり、PDFとして書き出すことができる。メールで受け取った書類に修正指示を加えたり、リモート会議やオンライン授業で配られた資料に書き込みをしたいときなど重宝するので使ってみよう。なお、有料のPro版（3ヶ月で800円）を購入すれば、より高度な機能も使えるようになる。

PDF Viewer Pro
作者／PSPDFKit GmbH
価格／無料
入手先／App Store

1 PDFを開いて「注釈」ボタンをクリック

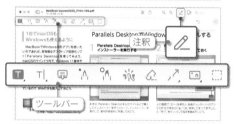

注釈

ツールバー

アプリを起動し、編集したいPDFを開こう。画面右上にある「注釈（ペンのアイコン）」ボタンをクリックしたら、ツールバーから使いたいツールを選ぼう。

2 ツールバーに表示されないツールを選ぶには？

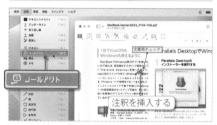

コールアウト

注釈を挿入する

メニューバーの「注釈」からは、ツールバーに表示されていないツールが選べる。上の画像は、「コールアウト」を選択して注釈を入力してみた例だ。

3 ページの削除や回転、抽出なども行える

書類エディタ

画面右上にある「書類エディタ」ボタンをクリックすると、ページの削除や回転、抽出などが行える。編集対象のページを選択した状態で、ツールバーから作業を選ぼう。

4 編集したPDFを書き出す

通常は「注釈を埋め込む」を選択

書き出す

編集したPDFを書き出すには、画面上部の「共有」ボタンを押して、「書き出す」タブをクリック。注釈の処理を選んで「書き出す」をクリックすればいい。

4 Mac用の定番テキストエディタとして人気の「Jedit Ω」

文書作成やプログラミングに最適なテキスト編集ツール

「Jedit Ω」は、強力な検索／置換機能、各種テキスト変換／加工ツール、プログラミング支援機能など、リッチテキストからプレーンテキストまで扱えるテキストエディタだ。企画書やブログ記事の下書き、HTMLやPythonのプログラミング作業など、幅広い用途に活用できる。

Jedit Ω
作者／MATSUMOTO Satoshi
価格／無料(PRO版は2,400円)
入手先／https://www.artman21.com/jp/

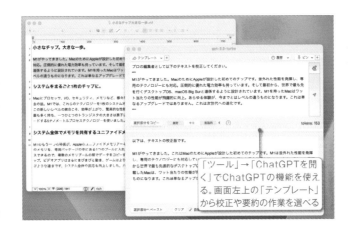

PRO版ならChatGPTによる支援機能も使える

有料のPRO版であれば、ChatGPTで文章の校正や要約などの作業を支援してもらうことができる。この機能を使うには、あらかじめ設定画面の「ChatGPT」でAPI KEYを登録しておくこと。なお、ChatGPTをAPI経由で利用する場合、ChatGPT側に利用料金を支払う必要がある(No004で解説)。

「ツール」→「ChatGPTを開く」でChatGPTの機能を使える。画面左上の「テンプレート」から校正や要約の作業を選べる

---

5 わからない英文は「DeepL」でスピーディかつ正確に翻訳

正確かつ自然なAI翻訳を即座に使いたいなら

最先端のAI翻訳技術を採用し、正確かつ自然な翻訳ができるとして人気のオンライン翻訳サービス「DeepL」。このDeepLをさらに気軽に使いたいなら、macOS用の公式アプリを使おう。アプリを起動したら、翻訳したい文章を選択し、「command」キーを押しながら「C」キーを2回押すとすぐに翻訳される。PDFやWord、PowerPointファイルの翻訳も可能だ。

DeepL
作者／DeepL SE
価格／無料
入手先／https://www.deepl.com/ja/macos-app/

ショートカットキーで必要なときにすぐ翻訳できる

常時起動させておけば、必要なときにショートカットキーですぐに翻訳できるので便利。画面上のテキストをキャプチャして翻訳する機能も搭載されている。

---

6 アプリのアンインストールを行うなら必須のアンインストーラー

アプリに関連するファイルを根こそぎ削除できる

macOSでアプリをアンインストールする場合、Launchpadから削除するか、アプリケーションフォルダ内のAppファイルをそのままゴミ箱に捨てて削除すればいい。ただ、この方法だと、削除したアプリに関連する一部ファイルやフォルダ、設定などがシステムに残ってしまうことがある。そのままでも特に問題はないのだが、不必要なファイルを残したくないのであれば「App Cleaner」を利用しよう。アンインストールしたいアプリのAppファイルをドラッグ＆ドロップするだけで、そのアプリに関連するファイルを自動で検索し、一気に削除することが可能だ。

App Cleaner
作者／FreeMacSoft　価格／無料
入手先／https://freemacsoft.net/appcleaner/

1 アプリを完全にアンインストールする

アンインストールしたいアプリのAppファイルをApp Cleanerのウインドウ内にドラッグ＆ドロップ。削除したいものにチェックを入れて「Remove」をクリックしよう。

2 リスト表示でアプリ一覧からもアンインストール削除できる

ウインドウ右上にあるリスト表示ボタンをクリックすると、インストールされているアプリ一覧が表示される。そこから各種アプリをアンインストールすることも可能だ。

7　シンプルで使いやすいメディアプレイヤー「IINA」

あらゆるファイル形式に対応した動画プレイヤー

「IINA」は、モダンなデザインを採用したメディアプレイヤーだ。ほぼすべての動画ファイル形式に対応し、QuickTime Playerでは再生できないWindows Media Video（WMV）形式などにも対応。プレイリスト機能、再生速度の調整など便利な機能も搭載している。

IINA
作者／iina.io
価格／無料
入手先／https://iina.io/

ボタンで各種機能を呼び出す

細かな設定で快適な動画視聴ができる

プレイヤー上のボタンで、ピクチャー・イン・ピクチャー再生やプレイリスト画面、クイック設定などを呼び出せる。クイック設定では再生速度の調整も可能だ。また、クイック設定の「オーディオ」→「オーディオディレイ」の設定で、映像と音のタイミングを調整できる。音ズレしている動画もこれなら快適に視聴可能だ。

8　「Clipy」でテキストや画像のコピー＆ペースト操作をより便利に

クリップボードの履歴や定型文をすぐに呼び出る

「Clipy」は、シンプルで使い勝手のいいクリップボード拡張アプリだ。過去にコピーしたテキストや画像などを履歴として蓄積し、必要なときに呼び出して貼り付けられる。また、よく使う文章をスニペット（定型文）として登録しておき、いつでも呼び出せる機能も搭載。スニペットの登録は、ステータスメニューから「スニペットを編集」を選んでフォルダを追加すれば可能だ。

Clipy
作者／Clipy Project
価格／無料
入手先／https://clipy-app.com/

ショートカットキーで履歴を表示して貼り付けれらる

Clipyのメニューは「shift」＋「command」＋「V」キーなどのショートカットキーで呼び出すことができる。ここから過去の履歴やスニペットを貼り付けることが可能だ。

9　フォルダに色やシンボルマークを付けて管理できる

好きな色でフォルダを見やすくしておこう

「カメレオン」は、フォルダの色を自由に変更できるアプリだ。アプリを起動したら、表示された画面にフォルダをドラッグ＆ドロップ。好きな色を選択して「保存」をクリックしよう。これでフォルダの色が変更される。また、「シンボル」欄のボタンをクリックすると、フォルダに好きなシンボルマークを付けることが可能だ。シンボルの色や大きさも調節して、好みの状態にしておこう。Finder標準のタグ機能だと、フォルダ名しか色分けされないため、若干見た目の区別が付きづらい。これを使えば、フォルダを色分けしてわかりやすく管理できる。

カメレオン
作者／Fu Shaobing
価格／無料（正式版は480円）
入手先／App Store

1　フォルダをドラッグ＆ドロップして好きな色を選ぼう

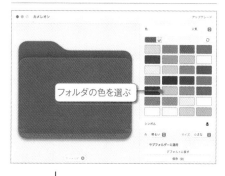

フォルダの色を選ぶ

↓

スクリーンショット

アプリを起動したら、ウインドウ内にフォルダをドラッグ＆ドロップする。フォルダの色を選んだら「保存」をクリックすれば設定完了だ。なお、無料版だとフォルダの色変更が10回までに制限されている。

2　フォルダにシンボルマークを付けることも可能

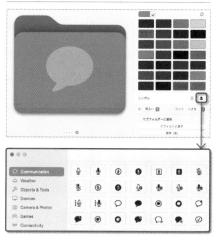

シンボル欄のボタンから好きなシンボルマークを重ねることができる。フォルダの内容に応じてシンボルマークを選んで付けておけば、さらにわかりやすくなる。

10 Windowsで文字化けしないZIP圧縮アプリ

　Macで圧縮したZIPファイルをWindows環境で開くと、ファイル名が文字化けしたり、余計なファイル（macOS特有のリソースフォーク）が入り込んだりなどのトラブルが起こる。そこでおすすめしたいのが「MacWinZipper」。Windows環境で開くことを前提としたクリーンなZIPファイルを作成可能だ。基本無料で使えるが、有料版版ならZIPファイルの展開（解凍）も可能になる。

MacWinZipper
作者／Tida
価格／無料（有料版は2,500円）
入手先／App Store

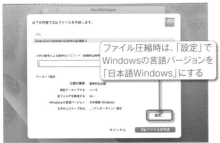

ファイル圧縮時は、「設定」でWindowsの言語バージョンを「日本語Windows」にする

アプリのウインドウに項目をドラッグすれば圧縮が可能だ。ファイル名でWindows環境だと文字化けする文字は「_（半角スペース）」に置き換わる。

11 Finderより便利な高性能ファイラー

　「Path Finder」は、カスタマイズ性の高いファイル管理アプリだ。プレビューやイメージブラウザ、ターミナルなどの各種「モジュール」をウインドウ内に自由に配置し、必要な情報を常に表示しておけるのが特徴。2つのフォルダを1つのウインドウで表示するデュアルブラウザ表示にも対応している。有料のサブスクリプションサービスだが、最初の30日間は無料で試用可能だ。

Path Finder
作者／Cocoatech
価格／月額2.95ドル〜
入手先／https://www.cocoatech.io/

モジュールをドラッグ&ドロップしてカスタマイズ

アプリをインストールして起動したら、モジュールのアイコンをPath Finderのウインドウ内にドラッグ&ドロップ。自分の必要な情報を常に表示させておこう。

12 先進的な機能を搭載した画像編集アプリ

　「Pixelmator」は、強力な画像編集機能を備えた画像編集アプリだ。手頃な価格ながら、プロユースにも耐えるフォトレタッチ機能をひと通り網羅している。また、機械学習アルゴリズムで写真を自動補正する「ML自動補正」や、不要なゴミなどをキレイに削除できる「修復」ツール、被写体の背景を簡単に消せる「スマート消去」ツールなど、先進的な機能が使える点も魅力だ。

Pixelmator Pro
作者／Pixelmator Team（公式サイトで7日間試用できるトライアル版を入手可）
価格／8,000円
入手先／App Store

手っ取り早く写真の色補正をしたい場合は、右端から「カラー調整」を選び、「ML自動補正」をクリックしよう。機械学習アルゴリズムで最適な色に補正してくれる。

13 MacやWindowsをリモートコントロール

　「TeamViewer」は、MacやWindows端末を外部端末からリモートコントロールできるアプリだ。外出先からiPhoneを使って自宅のMacを操作したり、Macから会社のWindowsパソコンを操作したりなどが可能。接続も簡単で、アプリを双方の端末にインストールしたらセッションコードを相手に伝えるだけ。商用利用ではなく、個人用途であれば無料で使えるのもうれしい。

TeamViewer
作者／TeamViewer Germany GmbH
価格／無料（個人用途に限る）
入手先／https://www.teamviewer.com/ja/

あらかじめ登録した自分のマイ・デバイスは、「マイデバイス」画面からすぐに接続できる。外出先から自宅のMacやWindows端末を操作したいときに便利だ。

14 今日やるべきことに集中できるTo-Doアプリ

　「Things 3」は、To-Do管理をシンプルかつパワフルに行えるアプリだ。使い方は簡単。やるべきことを思い付いたら、期限を設定してどんどん追加していくだけ。あとは、今日やるべきことだけに集中すればいい。To-Do管理アプリとして必要十分な機能と、わかりやすいインターフェイスにより、すぐ使いこなせるのも魅力だ。iOS端末とのシームレスな同期にも対応している。

Things 3
作者／Cultured Code GmbH & Co. KG
価格／8,000円
入手先／App Store

「+」ボタンで新規To-Doを作成したら、いつ（日時）、タグ、チェックリスト、期限などを設定。複数のTo-Doをプロジェクトとしてまとめて、見出しを入れることも可能だ。

15 Markdown対応のメモアプリ

　「Bear」は、ちょっとしたメモはもちろん、ブログ記事などの長文執筆にも適した高性能なメモアプリだ。段落や見出し、リンク、太字などの書式をMarkdown記法でスピーディに指定できるため、階層的で複雑な構造をもつ文章でも効率的に作成することが可能。Markdown記法がよくわからなくても、スタイルパネルから主要な書式が呼び出せるので、誰でも簡単に扱える。

Bear
作者／Shiny Frog Ltd.
価格／無料
入手先／App Store

右上のペン型アイコンからスタイルパネルを表示すれば、各種書式を適用できる。各書式のショートカットキーを覚えれば、スピーディに文章を編集可能だ。

16 自分でウィジェットを カスタマイズできる

「Widgy Widgets」は、Macの通知センターに表示されるウィジェットをカスタマイズできるアプリだ。アプリを起動したら、画面下の「閲覧・検索」で好きなウィジェットをインポートしておこう。次に通知センターの一番下にある「ウィジェットを編集」でWidgy Widgetsのウィジェットを配置。ウィジェットをクリックして、表示するウィジェットをアプリ上から選べば設定完了だ。

Widgy Widgets
作者／Woodsign
価格／無料
入手先／ App Store

「閲覧・検索」画面では、有志が作った各種ウィジェットをインポートできる。自分でゼロからウィジェットを作りたいときは、「クリエイト」画面で編集してみよう。

17 幅広いサービスに対応した ファイル転送アプリ

「Transmit 5」は、Mac用のファイル転送アプリだ。SFTPやFTP、WebDAV、S3に対応したサーバだけでなく、DropboxやGoogle Driveなどの代表的なクラウドストレージにも標準で対応。すっきりとしたインターフェイスで、ファイルのアップロードやダウンロードを快適に行える。ローカルとサーバ上のフォルダを同期／ミラーリングする機能も搭載している。

Transmit 5
作者／Panic, Inc.　価格／無料（7日間の試用後は年額2,800円）
入手先／ App Store

画面左にはローカル、画面右にはサーバのファイルが表示される。まずは画面中央下にある「＋」ボタンで接続するサーバの設定を行っておこう。

18 iPad版と連携できる 手書きノートアプリ

「GoodNotes 5」は、iPad版が有名な手書きノートアプリだ。iPad版では、Apple Pencilと組み合わせることで実際のノートのように使えるため、学生やビジネスマンに評価が高い。Mac版ではトラックパッドやマウスによる手書きとなるが、SidecarでiPadと接続すればApple Pencilも使用可能だ。テキスト入力やPDFおよび画像の読み込みなどにも対応している。

GoodNotes 5
作者／Time Base Technology Limited
価格／無料（有料版は1,500円）
入手先／ App Store

iPad版で作成した手書きノートをすぐに閲覧でき、手書き文字の検索にも対応。ノート上にテキストや図形、画像などを貼り付けることもできる。

19 2Dグラフィックを 制作できる無料アプリ

「Vectornator」は、無料で使えるベクターベースのグラフィックエディタだ。プロ用アプリ並の機能を備えており、ちょっとしたロゴデザインやイラスト制作、本格的なWebサイトやアプリのインターフェイスデザインなどが行える。各種ブラシやレイヤー、グループ化、整列機能など、グラフィックエディタとして必要な機能はほぼ網羅されているので、ストレスなく作業が可能だ。

Vectornator: Vector Design
作者／Linearity GmbH
価格／無料
入手先／ App Store

無料とは思えないほど高機能で、本格的なデザイン作業にも十分使える。なお、iPhoneやiPad用のアプリもあるので、気に入ったらそちらも利用してみよう。

20 アプリやファイルなどを 素早く見つけ出せる

「Alfred」は、Spotlightのようにキーワードを入力して目的のアプリやファイル、ブックマークなどを素早く探し出せるランチャーアプリだ。設定によってはログアウトや再起動などのシステム操作をコマンドで実行することも可能。また、有料の「Powerpack（34ポンド〜）」を購入すると、クリップボード履歴やスニペット（定型文）、自動化など、強力な機能を追加することができる。

Alfred
作者／Running with Crayons Ltd
価格／無料
入手先／ https://www.alfredapp.com/

「option」+「スペース」キーで検索欄を表示させ、キーワードを入力すればアプリを検索できる。冒頭にスペースを入力すればファイル検索に切り替え可能だ。

21 あらゆる圧縮ファイルを 即座に展開できる

macOSは標準でZIP形式の圧縮ファイルを展開（解凍）することが可能だ。しかし、RARや7-ZIPなど、そのほかの圧縮ファイル形式を展開したい場合は、別のアプリが必要となる。そこでインストールしておきたいのが、シンプルで使いやすい「The Unarchiver」。インストールして初期設定を済ませれば、あらゆる圧縮ファイルをダブルクリックだけで展開できるようになる。

The Unarchiver
作者／MacPaw Inc.
価格／無料
入手先／ App Store

インストールしたらアプリを起動。環境設定画面が表示されるので、The Unarchiverで開く圧縮ファイル形式や展開先のフォルダなどを設定しておこう。

22 簡単操作で隙間なく ウインドウを配置できる

「BetterSnapTool」は、ウインドウを画面の端にドラッグすることで、ウインドウサイズや位置を自動的に調整してくれるというアプリ。たとえば、ウインドウを画面上端にドラッグすれば全画面表示、画面左端にドラッグすれば画面半分のサイズで左側に表示、右上隅にドラッグすれば画面1/4サイズで右上に表示してくれる。複数のウインドウを隙間なく配置したいときに便利だ。

BetterSnapTool
作者／folivora.AI GmbH
価格／480円
入手先／ App Store

ウインドウを画面の上か左右端、または四隅にドラッグしてみよう。ドラッグした位置に応じて、ウインドウサイズや位置が最適な状態にスナップされる。

23 メニューバーから 設定を切り替えられる

「OnlySwitch」は、さまざまな設定のオン／オフをメニューバーから即座に切り替えられるようになるユーティリティだ。起動するとメニューバーにアイコンが表示されるのでクリックしよう。「デスクトップアイコンを隠す」、「ダークモード」、「ミュート」、「隠しファイルを表示」など、さまざまな設定がスイッチとしてリスト表示されるので、切り替えたいものをクリックすればいい。

OnlySwitch
作者／jacklandrin
価格／無料
入手先／https://github.com/
Jacklandrin/OnlySwitch

表示されるスイッチ項目はカスタマイズが可能だ。右下の歯車マークをクリックして設定画面で「カスタマイズ」を選んだら、表示したいものをチェックしよう。

24 指定ウインドウだけの 録画ができる

「Focus Window Recorder」は、シンプルで使い勝手のいいデスクトップ録画アプリだ。メニューバーに常駐し、「Record Display」で指定したディスプレイ全体、「Record Windows」で指定したウインドウ内の録画をすぐに開始できる。再びメニューバーのボタンを押せば録画終了。録画された動画ファイルは、あらかじめ指定したフォルダにmp4形式で保存される。

Focus Window Recorder
作者／Blnh An Tran
価格／無料
入手先／ App Store

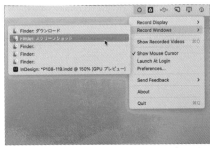

初回起動時には録画した動画の保存フォルダを指定しておく。あとはメニューバーのアイコンから、録画したいディスプレイまたはウインドウを選んで録画開始だ。

25 コピーしたテキストを プレーンテキスト化

「Get Plain Text」は、コピーされたテキストをプレーンテキスト化してくれるユーティリティだ。ウェブサイトやPDFファイルからコピーしたテキストをメールなどに貼り付けると、文字色や太字といった書式情報もそのまま反映されることがある。こういった書式情報が不要なら、このアプリを使い、テキストをプレーンテキストに変更してからテキストエディタに貼り付けるといい。

Get Plain Text
作者／Alice Dev Team
価格／無料
入手先／ App Store

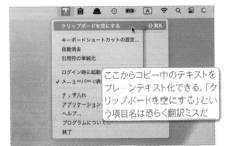

ステータスバーから「クリップボードを空にする」を実行するか、「shift」+「command」+「K」キーで、現在コピー中のテキストがプレーンテキストになる。

26 デスクトップに カレンダーを表示できる

「Desktop Calendar Plus」は、デスクトップにカレンダーを表示できるアプリだ。カレンダーは、「システム設定」で選んだ好きな壁紙の上に表示可能。本アプリを導入すれば、Mission ControlやExposeの「デスクトップを表示」で、いつでもカレンダーがチェックできるようになる便利だ。なお、カレンダーは、サイズやレイアウト、色、フォントなどを細かくカスタマイズできる。

Desktop Calendar Plus
作者／3flab
価格／1,100円
入手先／ App Store

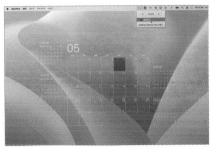

カレンダーは壁紙の上に表示され、通常時はポインタ操作に反応しない。メニューバーアイコンから「環境設定」を選べば、細かいカスタマイズが可能だ。

27 大事なイベントまでの 残り日時を表示

「カウントダウンタイマー」は、設定した日時までのカウントダウンをデスクトップ上で表示してくれるアプリ。大切な人の誕生日やスポーツの試合、アーティストの生配信など、大事なイベントを忘れたくないときに使おう。無料版だとタイマーは3つまで登録可能だが、有料のPro版になると登録数は無制限になり、タイマーの表示スタイルも3種類から選べるようになる。

カウントダウンタイマー
作者／Aravindhan Parasuram
価格／無料(Pro版は320円)
入手先／ App Store

起動したらメニューバーアイコンから「+」をクリック。表示されたタイマーをクリックして、タイトルや日時を設定しておこう。ドラッグ&ドロップで位置も調整できる。

28 秘密のファイル·を隠して保存できる

「Hider Pro」は、他人に見せたくない秘密のファイルをアプリ内に隠して、パスワードで保護できるアプリだ。ファイルやフォルダを隠したい場合は、アプリのウインドウ内にドラッグ&ドロップするだけ。この際「Delete」を押すとオリジナルのファイルがFinderから消され、アプリ内のみに保存されるようになる。なお、無料版だと保存容量が500MBまでに制限されている。

Hider Pro
作者／Omi Software Studio Inc.
価格／無料(VIP版は月額600円〜)
入手先／App Store

アプリ内でファイルやフォルダのカテゴリ分けも可能

隠したファイルにアクセスする場合は、メニューバーアイコンから「Unlock Hider-Pro」を選び、あらかじめ設定したパスワードを入力すればいい。

29 動画を壁紙に設定できるアプリ

「Wallpaper Play」は、MP4形式やMOV形式の動画ファイルをデスクトップの壁紙に設定できるアプリだ。安定したネットワーク環境であれば、YouTubeやWebページも壁紙にできる。アプリを起動したら、動画ファイルやURLを設定するだけと設定も簡単だ。壁紙用の動画ファイルは「Wallpaper mp4」などとブラウザで検索すればたくさん見つかるので、色々と試してみよう。

Wallpaper Play
作者／Hiroyasu Niitsuma
価格／無料
入手先／App Store

動画ファイルを壁紙に設定するなら、アプリの「Video」→「動画を選択」をクリックし、動画ファイルを読み込めばいい。壁紙に設定した動画の音は再生されない。

30 ノッチ部分にドラッグ&ドロップして機能を実行

「TopDrop」は、メニューバーの中央部分(一部MacBookでは画面上部のノッチ部分)にファイルをドラッグ&ドロップすることで、AirDropやメッセージ、ゴミ箱、一時保管(Top Shelf)などの機能を実行できるアプリだ。あらかじめ設定画面の「Actions」で、割り当てたい機能を1つ選んでおこう。あとは、メニューバーの中央部分にファイルをドラッグ&ドロップすればいい。

TopDrop
作者／Timberlane Labs
価格／1,100円
入手先／App Store

設定画面はメニューバーの中央部分をダブルクリックすれば表示できる。割り当てられる機能は1つだけだが、画面上部のノッチ部分を有効活用できるので便利。

31 ノッチ部分に特殊効果を表示できる

一部のMacBookには、ディスプレイの最上部にノッチ(黒い切り欠き部分)が存在する。標準状態では、ノッチの裏にポインタが隠れると見えなくなってしまうため、ポインタを見失ってしまうことも。そこで試してほしいのが「Notchmeister」だ。本アプリを起動すると、ポインタがノッチの裏に隠れたときに色々な特殊効果を表示してくれる。効果の種類は6種類から選択可能だ。

Notchmeister
作者／The Iconfactory
価格／無料
入手先／App Store

特殊効果は、小さなランプが揺らいだり、グロー効果が表示されたり、ノッチ部分がさらに広がったりなどさまざま。設定画面で好きな効果を選んでおこう。

32 無駄なファイルを消せるドライブ管理アプリ

「CleanMyDrive 2」は、Macの内部ドライブおよび外部ドライブを管理するユーティリティアプリだ。メニューバーから接続されているすべてのストレージの使用状況(空き容量など)をチェックでき、各ドライブの取り外しも素早く実行できる。「クリーンアップ」ボタンが表示されている場合は、クリックすることで隠れたジャンクファイルを一掃。ドライブの空き容量を確保可能だ。

CleanMyDrive 2
作者／MacPaw Inc.
価格／無料
入手先／App Store

メニューバーから全ドライブの使用状況をチェックできる。ファイルやフォルダを各ドライブにドラッグすると、ドライブ直下のディレクトリにコピーが可能だ。

33 写真のEXIFデータからファイルの作成を修正

「File Date Recovery」は、写真ファイルに埋め込まれたEXIFデータの撮影日を基にして、ファイルの作成日を上書きで修正してくれるアプリだ。たとえば、「写真」アプリでダウンロードした写真ファイルは、ダウンロードした日時にファイルの作成日が変更されてしまう。これだと、Finderで撮影日順にファイルを並べ替えられなくなるので不便だ。そんなときはこのアプリを使おう。

File Date Recovery
作者／Mario Schlegel
価格／無料
入手先／App Store

アプリを起動したら、写真ファイルをウインドウ内にドラッグ&ドロップするだけ。これだけでファイルの作成日が、EXIFデータの撮影日に修正される。

050
アクセサリ

MacBookをもっと便利&快適にするアイテムを厳選紹介

MacBookと一緒に
利用したい良品アクセサリ

本誌オススメの製品を
ピックアップ

ここでは、MacBookを購入したときにあわせて買っておきたいアクセサリや周辺機器を紹介。本体を保護するケースや接続デバイスを増やすUSBハブ、充電に使えるモバイルバッテリーなど、さまざまな製品を紹介していくので参考にしてほしい。

MacBookにフィットする
ソフトレザーケース

上質でなめらかなソフトレザー素材を使用したスリーブ型インナーケース。カラーはネイビー、キャメル、ブラックの3色が用意されている。MacBookにぴったりフィットして、カバンの中でかさばらないのが特徴だ。なお、写真の製品は、MacBook Pro 14.2インチ（2021年発売モデル）専用のもの。13インチや16インチに対応したタイプもある。

エレコム パソコンケース
MacBook Pro 14.2インチ
（2021年発売モデル）対応
BM-IBSVM2114
メーカー／エレコム
実勢価格／2,400円（税込）

MacBookの外側を
完全に保護するケース

MacBookを傷から守りたいなら、外観全体をすっぽりと覆うハードシェルタイプのケースを利用したい。Tech21の「Evo Hardshell Case」は、耐衝撃素材を採用した透明ケースで、MacBookの形にぴったりとフィット。使用中や持ち運び中に付いてしまう擦り傷などを防いでくれる。

Tech21 Evo Hardshell Case for
13インチMacBook Air M2 2022
メーカー／Tech21　実勢価格／13,400円（税込）

Kensington
UltraThin Magnetic
Privacy Screen
Filter for 14インチ
MacBook Pro
メーカー／Kensington
実勢価格／
8,800円（税込）

横から画面を覗かれにくくなる
マグネット式スクリーンフィルター

MacBook Proのディスプレイに装着することで、視野角を30度程度に狭められるスクリーンフィルター。他人に横から覗かれてしまうのを防止し、画面のブルーライトや光の映り込みなども防ぐことができる。脱着はマグネット式なので簡単。スクリーンフィルターを付けたままでもMacBook Proを完全に閉じることが可能だ。

汚れや傷を防ぎ見た目も
カスタマイズできるスキンシール

薄さ0.2mmの薄さでMacBookにぴったりとフィットするスキンシール。耐久性のあるPVC素材を採用し、汚れや傷から機器本体を守ってくれる。スキンのデザインは全34種類あり、MacBookの見た目を自分好みにカスタマイズするのにもおすすめだ。

wraplus スキンシール
MacBook Pro
14インチ（2021〜）
メーカー／wraplus
実勢価格／3,290円（税込）〜

Anker 537 Power Bank
（PowerCore 24000, 65W）
メーカー／Anker
実勢価格／11,490円（税込）

Anker 737
Power Bank
（PowerCore
24000）
メーカー／Anker
実勢価格／
19,990円（税込）

MacBook Proも急速充電できるモバイルバッテリー

最新のMacBook Pro 16インチをモバイルバッテリーから充電するには、140Wの給電が必要なモデルがおすすめだ。Ankerの「Anker 737 Power Bank」であれば、24000mAhの超大容量かつ最大140Wという超高出力のUSB PD 3.1対応ポートを搭載。必要ワット数の多いMacBook Proの外部バッテリーとしても使うことが可能だ。高さは約16cm、幅は約5cmとスリムサイズ。重さは632gと、500mlペットボトルと同じぐらいの重量となる。

MacBook Airの充電に使えるモバイルバッテリー

USB-C端子を搭載しているMacBookであれば、モバイルバッテリーからの充電が可能だ。MacBookやMacBook Air（10コアGPU搭載モデル以外）であれば、「Anker 537 Power Bank」のような65W以上の給電ワット数に対応したものを選ぼう。

Anker 313 Charger
（Ace, 45W）
メーカー／Anker
実勢価格／3,890円（税込）

45W出力を実現したポケットサイズの充電器

MacBook Air（10コアGPU搭載モデル以外）は、充電に必要なワット数が30Wとなっている。45W出力に対応した充電アダプタ「Anker 313 Charger」であれば、付属のUSB-C電源アダプタ代わり使うことが可能だ。ポケットサイズなので、持ち運びも手軽。スマホの充電アダプタとしても使えるので1つ持っておくと便利だ。

持ち運びに重宝するコンパクトな急速充電器

MacBook Pro付属のUSB-C電源アダプタは意外とサイズが大きく、持ち運び時にかさばってしまうことがある。そこでおすすめしたいのが「Anker 737 Charger」だ。最大120Wというパワフルな出力ながら、一般的な94W出力の充電器（MacBook Pro14インチや16インチに付属のもの）よりも約40%小さいサイズを実現している。

Anker 737 Charger
（GaNPrime 120W）
メーカー／Anker
実勢価格／12,900円（税込）

Satechi
スリム ワイヤレス
Bluetooth テンキー18キー
メーカー／SATECHI
実勢価格／5,881円（税込）

MacBookにぴったりの薄型ワイヤレステンキー

仕事で数値データを頻繁に入力する人は、外付けのテンキーを利用するといい。SATECHI製の薄型ワイヤレステンキーは、MacBookの見た目にジャストフィットするスタイリッシュなデザインが特徴だ。USB充電式バッテリーを内蔵し、1回の充電（充電時間は1〜2時間）で約2週間使うことができる。

MacユーザーのためのポータブルBlu-rayドライブ

MacBook用の外付けドライブを探しているなら、ロジテックの「LBD-LPWAWU3CNDB」がおすすめだ。CDやDVD、Blu-rayの読み書きにすべて対応。厚さ14mm、重量230gの薄型軽量デザインなので持ち運びにも最適だ。

ロジテック ブルーレイドライブ
LBDW-PUH6U3CMSV
メーカー／ロジテック
実勢価格／17,880円（税込）

ここまでMacBookと親和性の高いワイヤレステンキーは他にない。見た目で選ぶならこれ一択だ。

Anker 556 USB-C ハブ (8-in-1, USB4)
メーカー／Anker
実勢価格／11,992円（税込）

必須の外部端子を搭載したUSBハブ

MacBookにさまざまな外部デバイスを接続するには、USBハブが必須だ。Ankerの「Anker 556 USB-C ハブ」を使えば、USB-AやUSB-C、HDMI、DisplayPort、イーサネットなどの各種ポートを用いるデバイスをスマートに接続できるようになる。

USB4アップストリームポート、急速充電できるUSB PD対応USB-Cポート、USB 3.2 Gen 2対応（10Gbps）USB-Cポート、USB-Aポート×2、8K（30Hz）対応HDMIポート、8K（30Hz）対応DisplayPort++、イーサネットポートを搭載。

Plugable USB-C ハブ 5-in-1 マルチポート アダプター
メーカー／Plugable
実勢価格／5,480円（税込）

MagSafe搭載 MacBook専用の USBハブ

MagSafe端子が搭載されているMacBook Pro 14インチ／16インチ、MacBook Air（M2チップ搭載）専用のUSBハブ。本体の側面に装着できるので、スマートにケーブル類を接続可能だ。USB 3.0ポート×2、USB 4およびThunderbolt 4互換のUSB-Cポート、オーディオ入出力ポート、ギガビットイーサネットポートを搭載している。

18個の接続ポートを搭載した 超高性能なドッキングステーション

USBハブを介してMacBookに多数の外部デバイスを接続すると、供給電力が不足して各種デバイスとの接続が不安定になりやすい。そんな場合は本製品のようなドッキングステーションを使ってみよう。最大98Wのパワフル給電でMacBookを急速充電しながら、最大18台のデバイスを同時に行うことができる。

CalDigit TS4／ THUNDERBOLT STATION 4
メーカー／CalDigit
実勢価格／58,300円（税込）

Thunderbolt 4/USB4やUSB 3.2 Gen 2対応（10Gbps）ポート、DisplayPort、イーサネット、SDカードスロットなど、多数のポートを備えたドッキングステーションだ。

ケーブルをスマートに 整理できるケーブルホルダー

USBケーブルなどの収納に悩んでいる人は、以下のようなケーブルホルダーを利用しよう。使いたいときだけホルダーからケーブルを取り外せるので、机の上もごちゃごちゃにならずに済む。

SOULWIT 3本入れ ケーブルホルダー
メーカー／SOULWIT
実勢価格／799円（税込）

3穴、5穴、7穴の3つのケーブルホルダーがセットになった、コスパに優れた製品。丈夫で柔らかなシリコン製で、ケーブルの固定も簡単に行える。

Anker Magnetic Cable Holder
メーカー／Anker
実勢価格／1,690円（税込）

マグネット式で脱着しやすいケーブルホルダー。ライトニングケーブルやMagSafeケーブル、USB-C ケーブルなどの直径3.5mm以下の幅広いケーブルに対応している。

音楽に集中できるノイズキャンセル対応
ワイヤレスイヤホン

MacBookで完全ワイヤレスイヤホン使うなら、ペアリングが簡単な Apple製のAirPods Pro（第2世代）が最適。コスパ重視であれば 「OPPO Enco Air2 Pro」など、1万以下の機種もおすすめだ。

AirPods Pro（第2世代）
メーカー／Apple
実勢価格／39,800円（税込）

2022年9月に発売されたAirPods の最上位機種モデル。強力なアクティブノイズキャンセリング機能を搭載し、不要な雑音を軽減。空間オーディオによる臨場感溢れるサウンドも楽しめる。MacBookとiPhoneなど、Apple製品との接続は自動で切り替えてくれるので便利だ。

OPPO Enco Air2 Pro
メーカー／OPPO
実勢価格／7,618円（税込）

8,000円を切る低価格で、アクティブノイズキャンセリング機能や外音取り込み機能を搭載した完全ワイヤレスイヤホン。公称94msの低遅延モードを搭載し、ゲームプレイや動画視聴にも違和感なく使える。イヤホンの長押しで、2台のデバイス間での接続切り替えを行えるクイックチェンジ機能も優秀だ。

Audioengine A1
メーカー／Audioengine
実勢価格／
33,000円（税込）

机の上に置ける本格的な
高音質ワイヤレススピーカー

「Audioengine A1」は、Bluetooth aptX対応のパワード・ワイヤレススピーカーだ。15.2×10.2×13.3cmのコンパクトサイズで、MacBookと共に机の上に設置することが可能。音質は歯切れよく明瞭で、小さなサイズからは想像できない広がりのあるサウンドが楽しめる。

用途に応じて選びたいノートパソコン用スタンド

MacBookを角度を付けて使いたいときは、以下のようなノートパソコン用スタンドを使うといい。製品によって、携帯性重視、冷却性能重視、安定性重視など、特徴が異なるため、自分の用途にあわせて選んでおきたい。

Satechi アルミニウム
ラップトップスタンド
メーカー／Satechi
実勢価格／4,116円（税込）

MacBookのデザインとフィットするアルミニウム製のノートパソコンスタンド。丈夫で重量感があり、滑り止めのゴムが付いているため安定性は抜群だ。折りたたみ式なので、使わないときはコンパクトに収納できる。

nediea ポータブルノートパソコン冷却パッド
メーカー／nedia
実勢価格／1,279円（税込）

MacBookの底面に2つ設置してスタンドのように使える冷却パッド。設置面積が少ないため、ノートパソコンの熱を効率よく逃がすことが可能だ。着脱はマグネット式で、使わないときは2つを合わせてボール状にできる。

MOFT 超薄型ノートパソコンスタンド
メーカー／MOFT
実勢価格／3,880円（税込）

MacBookの底面に貼り付けて使う薄型スタンド。サッと開けばすぐに立てかけられ、2段階の角度調整も可能だ。使わないときは折りたたんで3mmの薄さで収納できるため、貼り付けたままカバンの中に入れてもかさばらない。

マルチタッチでの
ジェスチャ操作に対応したマウス

Magic Mouse
メーカー／Apple
実勢価格／10,800円（税込）

Appleが開発したスタイリッシュなワイヤレスマウス。上面部分はマルチタッチに対応しており、1本指で上下に動かしてスクロールしたり、2本指で左右にスワイプしてアプリを切り替えたりなどが行える。電池交換不要の充電式で、1度フル充電をすれば約3ヶ月使うことが可能だ。

どこにでも携帯しやすい
電池式薄型マウス

外出先でもマウスを使いたいなら、持ち運びしやすい薄型マウスにしたい。Pebble M350は、BluetoothとUSB Nanoレシーバーによる無線接続に対応。単三形乾電池1本で約1年半使用できるのもポイントだ。

Pebble M350
メーカー／Logicool
実勢価格／3,000円（税込）

有線LANケーブルで
接続したいときに

MacBookをLANケーブルを利用してインターネット接続したいときは、「Anker PowerExpand USB-C & 2.5Gbps イーサネットアダプタ」のような変換アダプタを利用しよう。USB-Cポートに接続することで、最大2.5Gbpsの高速イーサネット通信が可能だ。

**Anker PowerExpand
USB-C & 2.5Gbps イーサネットアダプタ**
メーカー／Anker
実勢価格／4,790円（税込）

テンキーとしても使える
トラックパッドカバー

MacBookのトラックパッド部分に貼り付けて、テンキーとして使うことができるカバー。専用アプリを入れると、ジェスチャー操作でテンキーモード、ランチャーモード、計算機モードの3つを切り替えることが可能だ。

**【Nums ナムス Macbook
Air13_2022/M2】trackpad
cover**
メーカー／Nums
実勢価格／4,176円（税込）

クリエイター向け左手デバイスの決定版

「TourBox NEO」は、イラスト作成、写真加工、動画編集用アプリなどの操作を快適にする左手用コントローラーだ。よく使うショートカットや機能を割り当てることで作業効率が爆発的に向上。クリエイティブな作業に集中できるようになる。

TourBox NEO
メーカー／TourBox
実勢価格／24,980円（税込）

キーボードに被せてほこりやゴミの侵入を防ごう

キーボードの上や各キーの隙間に、ほこりやゴミが溜まるのが嫌なら、「エレコム キーボードカバーMacBook Pro 13inch (2020) / 16inch (2019) 対応」などのキーボードカバーを使おう。

**エレコム キーボードカバー
MacBook Pro 13inch (2020) /
16inch (2019) 対応**
メーカー／エレコム
実勢価格／2,013円（税込）

SECTION

メンテナンスと
セキュリティ

6

いざという時に助かるTime Machineでのデータバックアップ
手順を詳細に解説するほか、マルウェア対策やパスワード管理、
アカウント設定、紛失対策、フォントの追加、不要データの削除など、
メンテナンスとセキュリティをまとめてフォロー。

macOSのバックアップシステムを使いこなす

Time Machineで
データのバックアップを行おう

macOSの全ファイルを手軽にバックアップできる

「Time Machine」は、macOS標準のバックアップシステムだ。外付けドライブやNAS（ネットワーク接続ハードディスク）をバックアップ用ドライブとして設定しておくと、macOSのすべてのファイルを自動的にバックアップしてくれる。ドライブの空き容量次第では、長期間の差分バックアップも保存されるため、好きな日時を選んで特定フォルダ内のファイルを復元したり、システム全体をバックアップした状態に戻したりが可能だ。ここでは、空の外付けドライブを用意し、Time Machineでバックアップする方法を紹介しよう。

バックアック用の外付けドライブを用意しよう

SDSSDE61-1T00-GH25
エクストリーム ポータブル
SSD 1TB
メーカー／SanDisk
実勢価格／
18,041円(税込)

万全なバックアップには総容量の2〜3倍以上の空き容量が必要だ

Time Machineによるバックアップを万全に行うには、大容量の外付けドライブが必要となる。容量は、バックアップするストレージ総容量の2〜3倍ぐらいあると安心だ。外付けドライブの種類はSSDが高速でバックアップできるのでおすすめ。SanDiskのエクストリーム ポータブルSSDなら、防滴、耐振、耐衝撃の安心設計で、大きさも手のひらサイズとコンパクトで扱いやすい。なお、予算を抑えたいならHDDでもかまわない。

バックアップ用の外付けドライブをフォーマットする

ドライブ全体をバックアップ用にする

バックアップ用の外付けドライブをMacBookに接続したら、ディスクユーティリティでフォーマットしておこう。なお、すでに通常のデータが保存されている外付けドライブを使いたい場合、APFSでフォーマットされているのであれば、バックアップ用のボリュームを追加（右ページ参照）して使うことも可能だ。

1 外付けドライブを接続する

MacBookに外付けドライブを接続した場合、上のようにTime Machineでバックアップを作成するかどうか通知表示される。ここではバックアップの設定は行わず、一旦通知を消しておこう。

2 ディスクユーティリティを起動する

Time Machineのために用意した外付けドライブは、最初にフォーマットして内容をすべて消しておくとトラブルが少ない。フォーマットするには、Launchpadの「その他」→「ディスクユーティリティ」を開く。

3 すべてのデバイスを表示する

ディスクユーティリティが起動したら、「表示」→「すべてのデバイスを表示」を有効にしておこう。

4 外付けドライブを消去する

ディスクユーティリティの画面左側からフォーマットする外付けドライブを選び、「消去」をクリック。なお、フォーマットするとドライブの内容はすべて消える。

5 フォーマットの形式を決める

ドライブの名前とフォーマットを決める。フォーマットは「APFS」、方式は「GUIDパーティションマップ」にしておこう。「消去」でフォーマット開始だ。

6 フォーマットが完了する

フォーマットが終わると上のような画面になる。「完了」で画面を閉じ、ディスクユーティリティを終了しよう。

通常のデータ保存用としても使う場合はボリュームを分ける

ボリュームを分けて バックアップしたい場合

外付けドライブにパーティション（ボリューム）を追加すれば、通常のデータ保存用とバックアップ用とで保存領域を切り分けることが可能だ。ただし、バックアップ用の空き容量は十分に確保しておくこと。バックアップ用の容量が少なくなると、一番古いバックアップデータから消えていくので注意しよう。

1 「パーティション作成」を実行する

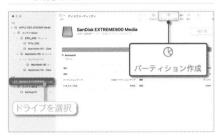

APFSでフォーマットされた外付けディスクを接続したら、ディスクユーティリティを起動。外付けドライブを選択して「パーティション作成」をクリックしよう。

2 「+」ボタンをタップする

上のような画面が表示され、ここでパーティションの作成や削除を行っていく。左の円グラフの下にある「+」ボタンをクリックしよう。

3 ボリュームを追加する

外付けドライブがAPFSでフォーマットされていると上の画面が表示される。ここではパーティションを追加するのではなく「ボリュームを追加」を選んでおこう。

4 新しいボリュームの設定を行う

ボリュームの名前を付けたら、フォーマットに「APFS」を選び、「追加」をクリック。これで新しいボリュームが追加される。

5 ボリュームが追加された

サイドバーを確認すると、1つの外付けドライブ内に2つのボリュームが存在しているはずだ。それぞれは別のボリュームとして使うことができる。

APFSの各ボリュームは空き容量が共有される

APFS形式でフォーマットされた物理ディスクでは、「コンテナ」と呼ばれる区切りの中に複数のボリュームを追加できる。また、各ボリュームの空き容量は、ディスク全体で共有できるのも特徴だ。そのため、旧来のパーティションを分けるときのように、あらかじめ各ボリュームの容量を決めておく必要はない。たとえば、総容量1TBの物理ディスクにAとBの2つのボリュームを追加し、Aに300GBのデータを保存したとしよう。物理ディスクの残り容量は700GBとなるが、この空き容量は、ボリュームAでもBでも使うことができる。この仕組みをしっかり理解しておこう。

Time Machineで自動的にバックアップを行う

1 Time Machineの設定を行う

Appleメニューから「システム設定」を開き、「一般」→「Time Machine」を選択。上の画面になるので「バックアップディスクを追加」をクリックしよう。

2 バックアップディスクを選択する

バックアップ先となるディスク（ボリューム）を選択したら、「ディスクを設定」をクリック。バックアップを暗号化する場合はパスワードの設定も行っておく。

3 バックアップが自動的に開始される

しばらく待っているとディスクが設定され、バックアップが開始される。あとは定期的に自動でバックアップが行われるので、特に操作する必要はない。また、「システム設定」→「一般」→「Time Machine」→「オプション」で、バックアップ頻度の設定を行える。

POINT

Time Machineにおけるバックアップの仕組み

Time Machineを設定すると、バックアップディスクの接続中のみ自動でバックアップが行われる（初期設定では1時間に1回）。初回はフルバックアップが実行され、完了するのに数時間かかることもあるので、時間に余裕があるときに実行しよう。2回目以降は差分バックアップなので短時間で終わる。なお、差分バックアップ時にバックアップディスクの空き容量があれば、過去にバックアップしたデータは消えずに残っていく。空き容量がなくなると、一番古いバックアップから自動的に削除されていく仕組みだ。バックアップディスクの空き容量が少ないと、復元時にあまり日時を遡れなくなるので容量には余裕をもっておこう。

Time Machineのアイコンをメニューバーに表示しておく

Time Machine関連の操作をすぐに行いたいなら

Time Machineを快適に使いたいのであれば、メニューバーにTime Machineのアイコンを常に表示しておこう。この設定を行うには、「システム設定」の「コントロールセンター」にある「Time Mashine」項目を「メニューバーに表示」にしておけばOKだ。これでメニューバーからバックアップの作成や停止、バックアップ状況の確認など、Time Machine関連の各種操作が素早く行えるようになる。また、「Time Mashine設定を開く」からは、「システム設定」→「一般」→「Time Mashine」の画面に直接アクセス可能だ。「Time Machineバックアップをブラウズ」から、バックアップしたデータにアクセスすることもできる（P130で解説）。

1 「システム設定」の「コントロールセンター」で設定

「システム設定」→「コントロールセンター」を開いたら、画面最下部にある「Time Mashine」の項目を「メニューバーに表示」にしておこう。

2 Time Machineをメニューバーから管理できる

メニューバーにTime Machineのアイコンが表示される。ここをクリックすれば、バックアップの作成や停止の実行、現在のバックアップ状況などがわかる。

Time Machineの手動バックアップを行う

必要なときだけバックアップする方法

Time Machineは、定期的に自動バックアップが行われる。しかし、MacBookを頻繁に持ち運ぶユーザーだと、Time Machineのために外付けドライブを常時接続しておくのは現実的ではない。そんなときは、週に1回ぐらい外付けドライブを接続し、手動でバックアップを実行するのがおすすめだ。手動バックアップを行うには、「システム設定」→「一般」→「Time Machine」→「オプション」で「バックアップ頻度」を「手動」にしておこう。あとは、メニューバーからTime Machineのアイコンをクリックして「今すぐバックアップを作成」を実行すればいい。

1 Time Machineの設定にあるオプションボタンを押す

まずは手動バックアップの設定を行おう。「システム設定」を開き、「一般」の「Time Machine」項目をクリック。上の画面で「オプション」ボタンをクリックしよう。

2 バックアップ頻度を「手動」に変更する

上のような画面が表示されるので、バックアップ頻度を「手動」に変更しておく。これにより自動バックアップは行われなくなり、手動でのバックアップのみになる。

3 バックアップドライブを接続して手動バックアップを実行

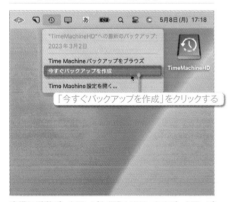

実際に手動バックアップを行うときは、まずバックアップディスクをMacBookに接続。ドライブがマウントされたら、メニューバーから「今すぐバックアップを作成」を実行しよう。これで手動バックアップが開始される。

4 バックアップの進行状況を詳しくチェックする

Time Machineのメニューバーアイコンから「Time Mashine設定を開く」を選択。システム設定が開き、バックアップの進行状況が表示される。バックアップ中はバックアップディスクを取り外さないこと。

5 バックアップディスクを取り外す

バックアップディスクを取り外す場合は、バックアップが完了した状態で、外付けドライブのアイコンをゴミ箱にドラッグ&ドロップしよう。ドライブがアンマウントされたあとに、MacBookから接続ケーブルを外すこと。

NAS（ネットワーク接続ハードディスク）を使ってバックアップする

ネットワークに接続するだけで自動バックアップできる

Time Machineは、NAS（ネットワーク接続ハードディスク）をバックアップディスクとして選択することも可能だ。NASとは、自宅のルーターに接続することで、ネットワーク経由でアクセスできるハードディスクのこと。バックアップディスクにNASを選択した場合、MacBookがNASと同じネットワークに接続されていれば、自動でバックアップされるようになる。Wi-Fi接続環境であればワイヤレスでバックアップできるため、いちいち外部ストレージを接続する手間も不要だ。ここでは、バッファロー製の「LinkStation」をNASとして利用し、バックアップディスクとして設定するまでの手順を紹介しておく。

1 NASの初期設定を行っておこう

Time Machineで使えるように設定しておく

まずは、NASの取扱説明書に書かれている通りに機器の接続や専用アプリのダウンロードを行い、NASの初期設定を済ませておこう。製品によっては、Time Machineで使うための設定が必要な場合もある。

2 NASのIPアドレスをチェックする

IPアドレス: 192.168.3.19

初期設置が終わったら、NASのIPアドレスを調べておこう。多くの場合は、メーカーが配布している専用アプリでIPアドレスを調べることができる。なお、NASのIPアドレスは固定しておくこと。

3 「サーバへ接続」でNASに接続する

「afp://」とIPアドレスを入力。なお、製品によって接続方法は異なる

Finderのメニューから「移動」→「サーバへ接続」を選択。上の画面の入力欄に「afp://192.168.3.19」のように「afp://」とNASのIPアドレスを入力したら、「接続」をクリックしよう。

4 NASの接続パスワードを入力して接続する

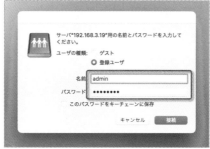

上の画面が表示されたら、NASとの接続に必要な名前とパスワードを入力して「接続」をクリックする。この情報は、NASの初期設定で設定しているはずだ。

5 Time Machine用のボリュームを選択する

NAS内で設定したTime Machine用のボリュームを選択する

バッファローのLinkStationの場合、初期設定でTime Machine用のフォルダ（ボリューム）を作っているはずだ。上の画面になったら、そのボリュームを選択しよう。

6 既存のバックアップディスクは解除しておく

すでに別のバックアップディスクがある場合は「ー」で解除しておく

Time Machineのメニューバーアイコンから「Time Mashine設定を開く」を選択してシステム設定を開く。既存のバックアップディスクがある場合は、「ー」ボタン→「バックアップ先を解除」で解除しておこう。

7 バックアップディスクを追加する

バックアップディスクを追加...

「バックアップディスクを追加」から、先ほどサーバ接続したNAS内のボリュームを選択して「ディスクを設定」をクリック。名前とパスワードなどを入力して接続しよう。

8 NASがバックアップディスクとして設定された

NASで自動バックアップが行えるようになった

これでNAS内のボリュームがバックアップディスクとして設定された。さらに「オプション」で「バックアップ頻度」を「自動で1時間ごと」、「自動で1日ごと」、「自動で1週間ごと」のどれかにしておこう。

POINT

Time Machineに対応したNASを購入しよう

NASを購入する際は、Time Machineに対応している製品を選ぼう。上の記事では、バッファローのLinkStation（LS210D0401G）を使っている。シンプルなHDD1台構成でコストパフォーマンスに優れ、初めてNASを導入する人におすすめだ。

BUFFALO
LinkStation 4TB
LS210D0401G
メーカー／バッファロー
実勢価格／18,882円（税込）

バックアップしたデータを復元する

Time Machineなら簡単にデータを復元可能

Time Machineでの復元方法は、「特定のファイルを復元する」、「移行アシスタントですべてのファイルを復元する」の2つがある。万が一のときに備えて、以下で復元手順をしっかり確認しておこう。なお、macOSを初期化してから移行アシスタントでシステム全体を復元することも可能だ。

特定のファイルを復元する方法

1 Time Machineバックアップをブラウズする

復元したいファイルがある、または削除してしまったファイルが元々あったフォルダを開き、メニューバーから「Time Machineバックアップをブラウズ」を実行。

2 日時を選んでファイルを復元する

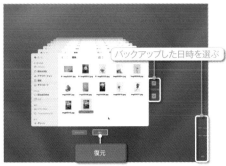

ウインドウ横にあるボタンや画面右端のタイムラインで復元したいバックアップの日時を選び、復元したいファイルを選択。「復元」をクリックしよう。

3 ファイルが復元された

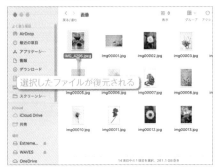

Time Machineの画面から抜けると、選択したファイルがフォルダ内に復元されているはずだ。ファイルだけでなく、フォルダやディスク全体も選択して復元できる。

移行アシスタントですべてのファイルを復元する方法

1 「移行アシスタント」を起動する

Launchpadを開いて「その他」→「移行アシスタント」を起動。「続ける」をクリックしたら、Time Machineバックアップを選択して「続ける」をクリックする。

2 Time Machineバックアップを選択

Time Machineのバックアップデータが入ったディスクを選択して「続ける」をクリック。さらに、日時別のバックアップリストから復元するデータを選択しよう。

3 転送する情報を選択して復元開始

元のバックアップデータから何を転送するかを選択し、アカウントの認証などを済ませると転送が始まる。転送には数時間かかることもあるのでしばらく待とう。

POINT

指定したフォルダをバックアップ対象から除外

Time Machineでは、指定したフォルダやファイルをバックアップ対象から除外できる。それほど重要ではないフォルダやファイルを複数除外しておけば、バックアップディスクの領域を節約可能だ。除外設定を行うには、まず「システム設定」→「一般」→「Time Machine」の画面を開き「オプション」ボタンをクリック。表示された画面で「＋」ボタンを押して、バックアップ対象から除外する項目を選んでおこう。

バックアップ対象から除外する項目を設定する場合は、「システム設定」を開いて、「一般」→「Time Machine」→「オプション」をクリックしよう。

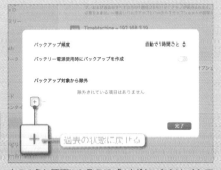

上のような画面になるので、「＋」ボタンをクリックしてバックアップ対象から除外する項目を指定する。それほど重要ではないフォルダを選んでおこう。

052

ユーザ設定

「ユーザとグループ」画面で変更しよう

ユーザ名とパスワードを変更する

自由に変更できるが アカウント名の変更は注意

MacBookのログイン画面で表示されるユーザ名（フルネーム）と、画面ロックを解除するためのパスワードは、あとからでも自由に変更できる。まず、Appleメニューから「システム設定」→「ユーザとグループ」を開こう。パスワードを変更するには、変更したいユーザ名の右にある「i」ボタンをクリックし、続けて「パスワードを変更」で新しいパスワードを設定する。ユーザ名を変更したい場合は、ユーザ名を右クリックして「詳細オプション」→「フルネーム」から変更できる。なお、フルネームの上に表示されている「ユーザ名」は、初期設定のコンピュータアカウント作成時に「アカウント名」に入力した名前が設定されている。別の管理者アカウントを作成して切り替えることで、このアカウント名も変更することが可能だが、なるべくなら変更しないほうがよい。アカウント名はホームフォルダのパスとして使われているため、名前を変更すると一部のアプリでアクセスしていたパスが変わってしまい、変更後のアカウント名でパスを再設定しないとアプリが正常に動作しなくなる。どうしてもアカウント名を変更する必要がある場合は、事前にしっかりバックアップを作成してから変更作業を進めよう。

フルネームとログインパスワードの変更

1 ユーザとグループを開く

Appleメニューから「システム設定」→「ユーザとグループ」を開き、パスワードを変更したいユーザ名の「i」ボタンをクリックする。

2 パスワードを変更する

「パスワードを変更」をクリックし、古いパスワードと新しいパスワードを入力して「パスワードを変更」をクリックすると変更できる。

3 詳細オプションをクリック

ユーザ名を変更するには、変更したいアカウントを右クリックして「詳細オプション」をクリックする。

4 フルネーム欄でユーザ名を変更する

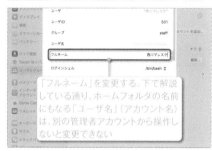

「フルネーム」欄をクリックして好きな名前に変更しよう。ログイン画面で表示される名前が新しい名前に変わる。

アカウント名を変更する

1 別の管理者アカウントを作成する

「システム設定」→「ユーザとグループ」の「アカウントを追加」をクリックし、新規アカウントを「管理者」に変更して別のアカウントを作成しておく。

2 変更したいアカウントの詳細オプションを開く

作成した管理者アカウントでログインし直し、「システム設定」→「ユーザとグループ」で変更したいアカウント名を右クリックして「詳細オプション」をクリック。

3 ユーザ名欄でアカウントを変更する

別の管理者アカウントから詳細オプションを開くことで、変更できなかった「ユーザ名」（アカウント名）を変更できるようになる。

053

セキュリティ

必ずチェックしたいセキュリティ項目を総まとめ

MacBookの
セキュリティを整える

1 自動アップデートのセキュリティ項目を有効にする

ソフトウェアアップデート
の設定を行おう

macOSは、自動的にソフトウェアアップデートを確認する機能がある。セキュリティを高めるために「システム設定」→「ソフトウェアアップデート」で必要な設定をしておこう。最新のアップデートを自動で受け取るには、「アップデートを確認」、「新しいアップデートがある場合はダウンロード」、「セキュリティ対応とシステムファイルをインストール」の項目をオンにしておくのがおすすめだ。

1 システム設定の
ソフトウェアアップデートを表示

まずは、「システム設定」を起動して「一般」→「ソフトウェアアップデート」をクリック。「自動アップデート」欄の右端にある「i」マークをクリックしよう。

2 最新のアップデートを
自動で受け取れるようにする

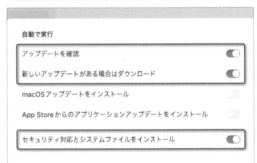

セキュリティを最新状態に保つのであれば、左の画像で示している3つの項目をオンにしておくのがおすすめだ。各項目の機能については以下表を参照してほしい。

ソフトウェアアップデートの項目について

項目	内容
アップデートを確認	Mac付属のアプリケーションアップデートおよび、重要なセキュリティアップデートがあるかどうかを常に確認する。アップデートが見つかった場合は通知を表示してくれる。
新しいアップデートがある場合はダウンロード	各種アップデートが見つかった場合、ユーザーに確認することなくダウンロードを行う。この項目をオンにしても、アップデートがダウンロードされるだけでインストールは行われない。
macOSアップデートをインストール	macOSアップデートが見つかった場合、自動的にインストールする。アップデートによる不具合も発生しがちなので、スイッチをオフにした上、不具合の報告を精査して自分のタイミングで手動アップデートするのがおすすめ。
App Storeからのアプリケーションアップデートをインストール	App Storeからダウンロードしたアプリにアップデートが見つかった場合、自動的にインストールする。アプリは自分で手動アップデートするのがおすすめだが、面倒であればオンにしておいてもいい。
セキュリティ対応とシステムファイルをインストール	重要なセキュリティアップデートが見つかった場合、自動的にインストールする。安全性を高めるためにも、こちらはオンにしておくことが推奨される。

POINT

各種アップデートを
手動で行う

macOSの手動アップデート

macOSを手動でアップデートしたい場合は、「システム設定」の「一般」→「ソフトウェアアップデート」を開こう。アップデートがある場合は、画面に表示されるインストール手順に従えばよい。

App Storeアプリの手動アップデート

「App Store」アプリを起動したら、サイドバーから「アップデート」をクリック。アップデートがある場合は、「すべてをアップデート」またはアプリごとの「アップデート」ボタンをクリックしよう。

App Storeでインストールしたアプリは、App Storeで手動アップデートが可能だ。「アップデート」画面を表示すると、現在インストールされているアプリのうち、アップデートがあるものを表示してくれる。

2 ディスプレイを閉じたら即座にロック

退席時にMacが他人に使われることを防ぐ

MacBookから一時的に離れる場合、他人にこっそり覗かれたり、使われたりする危険性がある。こういったセキュリティリスクを防ぐには、MacBookから離れる前にロック状態にしておきたい。以下のように、システム設定の「ロック画面」で「スクリーンセーバの開始後またはディスプレイがオフになったあとにパスワードを要求」を「すぐに」に設定しておくと、ディスプレイを閉じるだけですぐロック状態にできる。

1 システム設定の
ロック画面設定を表示する

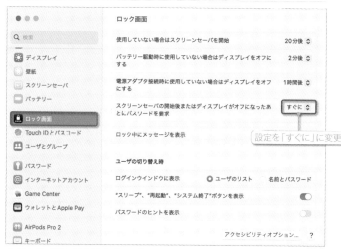

まずは、「システム設定」を起動して「ロック画面」を開く。「スクリーンセーバの開始後またはディスプレイがオフになったあとにパスワードを要求」を「すぐに」に設定しよう。

2 ディスプレイを閉じると
MacBookがロックされる

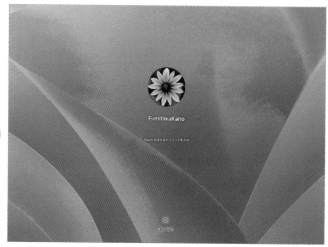

この状態でMacBookのディスプレイを閉じると、即座にロックされる。ディスプレイを開くとロック画面が表示され、解除するにはパスワードやTouch IDでの認証が必要だ。

3 自動ログインをオフにする

電源オン時にログインウインドウを表示させる

MacBookは、電源をオン時やロック時に、パスワードやTouch IDでの認証を行うロック画面（ログインウインドウ）が開くようになっている。設定によっては、ログインウインドウを表示せずに自動でログインさせることも可能だ（下の記事を参照）。ただし、その状態だとMacBookが誰でも使えるようになるため危険。右のようにログインウインドウが表示される設定にしておこう。

システム設定で自動ログインをオフにする

「システム設定」→「ユーザとグループ」を開き、「自動ログインのアカウント」で「オフ」にしておこう。これにより、電源オン時やロック時に毎回ログインウインドウが表示されるようになる。標準状態ではこの設定になっている。

POINT

MacBookに自動ログインするには？

自動ログインを有効にしたい場合は、「システム設定」→「ユーザとグループ」を開き、「自動ログインのアカウント」で自動ログインさせたいアカウントを選択しよう。これにより、Macを再起動するだけで誰でもMacにアクセスできるようなる。ただし、そのMacではTouch IDやApple Payが使用できなくなるので注意。また、FileVaultがオンの場合、自動ログインはオンにできない。

4 ファイアウォールで外部からの侵入を防御

不正アクセスを防ぐための必須設定

macOSには、外部からの不正アクセスを防ぐファイアウォール機能が備わっている。これを有効にすると許可されていない外部からの通信を防ぎ、セキュリティリスクを抑えることが可能だ。ただし、ファイアウォールがオンの状態だと、一部アプリの通信に不具合が出ることがある。その場合は、「システム設定」にあるファイアウォールのオプション画面で、外部からの通信を許可するアプリを登録しておこう。

1 「システム設定」で「ファイアウォール」をオンにする

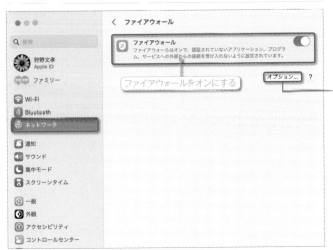

まずは、「システム設定」の「ネットワーク」から「ファイアウォール」画面を開く。上のように「ファイアウォール」のスイッチをオンにしておこう。

2 特定のアプリで外部からの通信を許可する場合

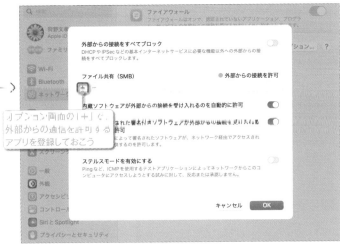

多くのアプリはファイアウォールがオン状態でも問題なく使えるが、一部のアプリは動作に不具合が出ることも。その場合は、アプリごとに外部からの通信を許可しておこう。

5 FileVaultでMacBookのデータを暗号化

MacBook紛失時の情報流出リスクを軽減

MacBookを紛失してしまった場合、何も対策をしていないと内部の情報を読み取られてしまうリスクが存在する。ログインウインドウでアカウントパスワードを入力する設定にしていても、ネットワーク経由や内蔵ディスクへの物理的な接続などで不正アクセスされるリスクは避けられない。そこでmacOSには、起動ディスクへの不正アクセスを防ぐ「FileVault」というセキュリティ機能が搭載されている。XTS-AES-128暗号化方式と256-ビットのキーを用いることでディスク全体を暗号化し、他人のアクセスを阻止することが可能だ。会社の機密データや重要な個人情報を扱っている場合は、必ずオンにしておこう。設定は、「システム設定」→「プライバシーとセキュリティ」画面にある「FileVault」で行える。なお、FileVaultをオンにしたディスクにアクセスするには、アカウントパスワードでのロック解除が必要だ。万が一アカウントパスワードを忘れた場合は、iCloudアカウントでロックを解除するか、復旧キーでロックを解除するかの2つの方法で復旧できる。

1 「システム設定」でFileVaultをオンにする

FileVaultをオンにする場合は、「システム設定」→「プライバシーとセキュリティ」を開き、「FileVault」の横にある「オンにする」をクリックしよう。

3 FileVaultがオンになる

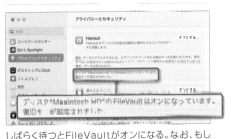

しばらく待つとFileVaultがオンになる。なお、もしFileVaultをオフに切り替えたいときは、上の画面の「オフにする...」をクリックすればいい。

2 ディスクのロック解除にiCloudアカウントを使うかの設定

アカウントのパスワードを忘れたときの復旧方法を選択。よくわからなければ「iCloudアカウントによるディスクのロック解除を許可」を選択すればいい。

⊂◯⊃POINT

FileVaultを有効化したらバックアップも忘れずにしておこう

Appleシリコン搭載MacのFileVaultでは、内蔵されている「Secure Enclave」と呼ばれるプロセッサを用いてディスクの暗号化やロック解除を行う。もし、このプロセッサが物理的に壊れてしまうと、起動ディスク自体が壊れていなくてもアクセスできなくなる危険性がある。FileVaultを有効化した場合は、万が一に備えてTime Machineなどを使ってバックアップをしておこう。

6　紛失盗難に備える設定をチェックする

MacBookの「探す」を有効しておく

　MacBookを紛失したとき、または盗難されたときなどには、「探す」機能でMacBookの現在位置を調べることができる（実際の使い方はNo141で解説）。ただし、「探す」機能を使うにはあらかじめ設定が必要だ。以下のように「システム設定」で位置情報サービスをオンにしておき、iCloudの設定で「Macを探す」をオンにしておこう。

Apple製デバイスは「探す」機能で位置を探せる

　MacBook以外でも、iPhoneやiPad、Apple Watch、AirPods、AirTagなどが「探す」機能に対応している。紛失した場合でも、各デバイスの大まかな位置がマップで調べられるので便利だ。

1 「システム設定」で「探す」をオンにする

「システム設定」→「プライバシーとセキュリティ」をクリック。「位置情報サービス」で「位置情報サービス」をオンにしたら、「探す」もオンにしておこう。

2 「探す」がない場合は「詳細」からオンにする

「探す」の項目が表示されていない場合は、「システムサービス」の「詳細」ボタンをクリック。上の画面で「Macを探す」を有効にしておこう。

3 iCloudの設定で「Macを探す」をオンにする

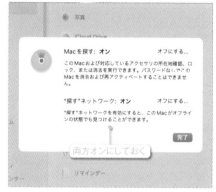

「システム設定」のサイドバー上部にある自分の名前をクリック。「iCloud」→「すべてを表示」→「Macを探す」をクリックしたら、上の画面で両方ともオンにしておこう。

7　マルウェア対策アプリをインストールする

マルウェアをスキャンして駆除できる無料アプリ

　macOSでは、マルウェアがシステムに侵入しないようにするための仕組みが何重にも施されており、通常の使用では感染しにくくなっている。とはいえ、最近ではmacOSを狙ったマルウェアも多数登場しており、感染リスクはゼロではない。万が一のときに備え、「Intego VirusBarrier Scanner」などのマルウェア対策アプリで、定期的にシステム全体をスキャンしておくと安心だ。

Intego VirusBarrier Scanner
作者／Intego
価格／無料
入手先／ App Store

外部ストレージなどをスキャンするには？

外部ストレージなど特定の場所をスキャンしたい場合は、手動スキャンの「スキャンを開始」ボタンをクリックしよう。スキャンする場所を指定して「スキャン」をクリックすればいい。

1 設定アシスタントで初期設定を行う

最初に設定アシスタントで初期設定を行おう。「毎日のスキャン」画面では、「基本的な保護」を選択して、スキャンする場所を選択。各種アクセスを許可しておこう。

2 フルディスクアクセスを許可しておく

次にIntego VirusBarrier Scannerのフルディスクアクセスを許可しておく。表示される説明に従って、システム設定で設定しておこう。

3 アプリが起動するのでスキャンを開始する

これでアプリが起動する。「毎日のスキャン」を有効化にしている場合は、特に何もしなくてよい。手動でスキャンしたい場合は、「今すぐ開始」をクリックしよう。

4 システムのスキャンが実行される

スキャンが実行されると、設定した場所にマルウェアがあるかどうかをチェックしてくれる。危険なファイルが見つかった場合は、隔離または削除可能だ。

054
キーチェーン

面倒なパスワード管理を簡単かつ安全に
パスワードの管理は
MacBookにまかせよう

パスワードを保存して
iPhoneとも同期できる

　macOSでは、Safari上で利用するWebサービスのログイン情報（ID、パスワード）を保存し、次回のログイン時にすぐ呼び出して自動入力できる「キーチェーン」機能が搭載されている。キーチェーンの情報は、同じApple IDを使っているiPhoneやiPadにも自動同期されるので、複数のApple製端末を使っている人はさらに便利だ。他にも、新規アカウント作成時にパスワードを自動で生成する機能や、パスワードの脆弱性や使い回し、漏洩リスクなどを警告してくれる機能なども備えている。パスワード管理が安全かつ手軽になるので、ぜひ使いこなしてみよう。

iCloudのキーチェーンを
有効にしておこう

iPhoneやiPadともパスワードを同期したい場合は、システム設定の左上にあるApple ID名をクリック。「iCloud」の画面を表示し「パスワードとキーチェーン」をオンにしておこう。これで保存したパスワードが全端末で同期される。

オンにする。iPhoneやiPadでは、「設定」の一番上のApple IDをタップ。「iCloud」→「パスワードとキーチェーン」を開き、「この◯◯を同期」をオンにする

Safariでログイン情報を保存して自動入力する

1 新規アカウント作成時に
安全なパスワードを自動生成

SafariでWebサービスの新規アカウントを作成する場合、自動的に強力なパスワードを生成してくれる。「強力なパスワードを使用」をクリックすれば、そのパスワードをキーチェーンに保存可能だ。

2 Webサイトログイン時に
パスワードを保存しておく

SafariでWebサービスに既存のアカウントでログインした場合、上のような表示が出る。ここで「パスワードを保存」をクリックすれば、ログイン情報がキーチェーンに保存される。

3 キーチェーンに保存された
ログイン情報を自動入力する

キーチェーンに保存したログイン情報は、次回のログイン時に自動入力できる。ユーザ名やパスワード入力欄をクリックして候補を選ぼう。複数のアカウントがある場合は「その他のユーザ名／パスワード」から選べる。

4 ログイン情報が
自動入力された

Touch IDなどで認証を済ませれば、ユーザ名やパスワードが自動入力される。入力欄が黄色になっていれば、その情報は自動入力されたことを示している。

保存したパスワードを管理する

1 システム設定で
パスワードを修正、削除する

システム設定の「パスワード」を表示すれば、保存したパスワードを管理できる。修正や削除したいものがあれば、右の項目一覧にある「i」をクリックしてみよう。

2 パスワードの脆弱性や
漏えいリスクをチェックする

「セキュリティに関する勧告」が表示されている場合、クリックするとパスワードの使い回しや漏洩リスクのあるパスワードが表示される。チェックして対策しておこう。

⊂⊃ POINT

macのキーチェーンはそのほかにも
さまざまな情報を保存できる

macOSのキーチェーンに保存されるのは、Webサイトのログイン情報だけではない。Mac、アプリケーション、サーバなどのログイン情報およびクレジットカード情報や銀行口座のPIN番号など、さまざまな機密情報が保存される。現在キーチェーンに保存されている情報は、「キーチェーンアクセス」という標準アプリを使えばチェックできるので確認してみよう。なお、iCloudキーチェーンで他端末と同期できるのは、Safariの自動入力で使用しているWebサイトのログイン情報とクレジットカード情報、Wi-Fiネットワーク情報、および「メール」、「連絡先」、「カレンダー」、「メッセージ」で使用するアカウント情報に限られる。

055

パスワード管理

サードパーティ製のパスワード管理アプリを使ってみよう
WindowsやAndroidと パスワードを同期する

パスワードを厳重に守りつつ さまざまな端末で同期できる

masOSのキーチェーン機能は、Apple製品以外の端末とパスワードの同期ができない。MacBookのほかに、WindowsやAndroid端末とも同期したいのであれば、キーチェーンの代わりに「1Password」などのサードパーティ製のパスワード管理アプリを使うといい。キーチェーンと同じく、パスワードの自動入力や自動生成にも対応している。プランによっては家族のパスワードもまとめて管理できるので便利だ。

1Password
作者／1Password
価格／年額35.88ドル～
入手先／https://1password.com/jp

Emergency Kitは 重要なので紛失しないように

1Passwordのアカウントを新規作成すると、「Emergency Kit」というPDFファイルが発行される。ここに書かれている「SECRET KEY」は、初回のサインインやアカウントの復旧で必要になる重要な情報だ。印刷して金庫などにしまっておこう。なお、パスワード部分の空欄は自分で記入すること。

アカウントを作成してMac用アプリを入手しよう

1 公式サイトでアカウントと パスワードを設定しておく

まずは、1Passwordのサイトにアクセスして「価格設定」から自分の好きなプランを選ぶ。メールアドレスを登録して新規アカウントを作成しよう。アカウントパスワードは覚えやすいものに設定すること。

2 カード情報の入力は 一旦スキップしていい

クレジットカード情報の入力画面になったら、一旦入力せずに「アカウントを作成し、後からカードを追加」をクリックする。アカウントが作成されると「Emergency Kit」のPDFが発行されるのでダウンロードしておこう。

3 Mac用のアプリを ダウンロードしておく

1Passwordのサイトにサインインできたら、右上にあるアカウント名をクリックして「アプリを入手」を選択。「1Password for Mac」でアプリをダウンロードしてインストールしておこう。

4 1Passwordのアプリで サインインしておく

アプリを起動したらサインインしてパスワードを登録しておこう。新しいデバイスでの初回サインインでは、メールアドレスやパスワードのほか、「Emergency Kit」に書かれている「SECRET KEY」が必要になる。

1Passwordでパスワードを管理してみよう

1 1Passwordにパスワードを 登録していこう

アプリの右上にある「＋新規アイテム」からパスワード情報を追加していこう。WebサイトのURLも入力しておくと、Safariでの自動入力ができるようになる。

2 Safariに機能拡張を導入して 自動入力を使えるようにする

Safariでパスワードの自動入力や自動生成を行う場合は、Safariの機能拡張「1Password for Safari」を導入しておくこと。また、Safariの「設定」→「自動入力」で「ユーザ名とパスワード」をオフにし、キーチェーンの自動入力も無効化しておこう。

3 WindowsやAndroid端末で パスワードを同期する

1PasswordはWindowsやAndroid用のアプリも用意されている。自分の使っている端末にアプリをインストールしておこう。パスワードの同期は自動で行われる。

056

データ保護

ファイルやフォルダ、メモ、写真などを隠す方法

大事なデータを見られないよう パスワードでロックする

他人に見られたくないものは こっそり隠しておこう

　MacBookには、他人に見られたくないデータがさまざまな場所に保存されている。代表的なものとしては、Finder内のファイルやフォルダ、標準メモアプリのメモ、写真アプリ内にある写真やビデオなどだ。ここでは、これらのデータをパスコードで保護し、他人に見られないようにする方法を伝授しておこう。ファイルやフォルダは、ディスクユーティリティで空のイメージ（仮想ドライブ）を作成し、パスコードを設定してそこに保存しておくのが簡単だ。標準メモアプリでは、メモごとにロックが行える。日記やプライベートな書き込みは、パスワードやTouch IDで認証しないと開けないようにしておこう。また、写真アプリの写真やビデオは、秘密にしたい項目を非表示にすることで一時的に隠しておける。

パスワード付きの仮想ドライブ内にファイルを保存する

1 ディスクユーティリティで 空のイメージを作成する

まずはFinderのメニューから「移動」→「ユーティリティ」を選択して「ディスクユーティリティ」を起動。次に、ディスクユーティリティのメニューから「ファイル」→「新規イメージ」→「空のイメージを作成」を選択する。

2 Webサイトログイン時に パスワードを保存しておく

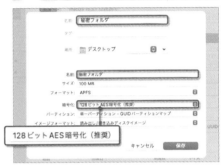

一番上の「名前」欄は、作成するdmgファイルの名前を設定。その下の「名前」欄は、マウント時の仮想ドライブ名を設定する。さらに「暗号化」欄で「128ビットAES暗号化（推奨）」を選択しておこう。

3 dmgファイルの パスワードを設定しておく

上のようにパスワードの入力欄が2つ表示されるので、dmgファイルを開く際に必要なパスワードを設定。「選択」→「保存」でdmgファイルが作成される。

4 ディスクユーティリティで 空のイメージを作成する

上が作成されたdmgファイルだ。下がマウントされた仮想ドライブとなる。仮想ドライブ内に、隠したいファイルやフォルダを入れておこう。

5 dmgファイルをマウントする際に パスワードが必要になる

仮想ドライブを隠したいときは、ゴミ箱に入れてマウントを解除すればいい。再びマウントする際は、dmgファイルをダブルクリックしてパスワードを入れよう。

標準のメモアプリでメモをロックする

1 標準のメモアプリで メモをロックしよう

標準のメモアプリを起動したら、ロックしたいメモを開く。画面上の南京錠マークをクリックして「メモをロック」を実行しよう。初回はパスワードの設定を行っておく。

2 パスコードまたはTouch IDなど で認証しないと開かなくなる

ロックしたメモは、パスワード入力かTouch IDで認証しないと開けなくなる。ロック解除したメモを再びロックするには、南京錠マークから「メモをロック」を選ぼう。

POINT

他人に見られたくない写真アプリの 写真やビデオを非表示にする

写真アプリの写真やビデオを他人に見られたくないときは、ライブラリから写真を選び、右クリックから「〜を非表示」→「非表示」を実行しよう。その写真は一時的に非表示となる（削除はされない）。非表示にした写真やビデオを表示したい場合は、写真アプリのメニューから「表示」→「非表示アルバムを表示」を実行しよう。サイドバーにある「非表示」をクリックし、パスワードやTouch IDで認証すると開けるようになる。

057

データ保護

紛失時の情報流出リスクを最低限に抑える

外部ストレージを
パスワードでロックする

暗号化で他人が
アクセスできないようにする

　もし、MacBookで使っている外部ストレージを紛失した場合、他人にアクセスされてしまう可能性がある。企業の社外秘のデータや重要な個人情報などを保存していた場合、外部に流出してしまうリスクもあるのだ。そこで、重要なデータを保存している外部ストレージは、パスワードを設定して暗号化しておこう。ドライブの暗号化はディスクユーティリティで行える。この際、ドライブ全体を初期化する必要があるので、すでに重要なデータが保存されている場合は、一旦別のドライブにバックアップしておこう。

ディスクユーティリティでドライブを暗号化する

1 ディスクユーティリティで すべてのデバイスを表示

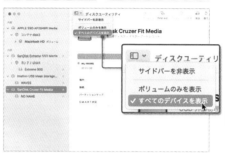

まずはFinderのメニューから「移動」→「ユーティリティ」を選択して「ディスクユーティリティ」を起動。上のように「すべてのデバイスを表示」を選択しよう。

2 ドライブを選択して 「消去」を実行する

サイドバーから暗号化したいドライブ名を選択し、「消去」をクリック。なお、ドライブは初期化されるので重要なデータは別のドライブにバックアップしておくこと。

3 ドライブの初期化設定を行う

初期化の設定が表示されるのでドライブ名を設定。「方式」に「GUIDパーティションマップ」を選択したら、次にフォーマットを「APFS（暗号化）」にしておこう。

4 パスワードを設定する

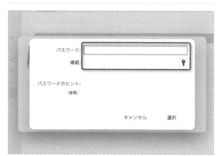

パスワードの設定画面になるので、「パスワード」と「確認」欄にパスワードを入力して「選択」をクリック。「消去」でドライブの初期化を行おう。

5 ドライブの初期化が行われる

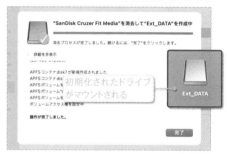

ドライブの初期化が行われるのでしばらく待っておこう。初期化が完了したら「完了」をクリック。すると初期化したドライブが新たにマウントされる。

暗号化されたドライブを使ってみよう

1 ドライブのマウント時に パスワード入力が必須になる

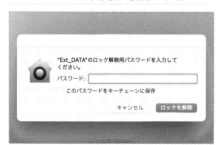

暗号化してパスワードを設定したドライブは、マウント時にパスワード入力が必須になる。もし、この外部ストレージを紛失しても、他人はアクセスできないので安全だ。

2 暗号化を解除する場合は 右クリックから「暗号解除」を実行

暗号化を解除したい場合は、ドライブをマウントした状態で右クリック→「暗号解除」を選択。パスワードを入力すれば暗号化が解除され通常のドライブになる。

POINT

外部ストレージを
暗号化したときのデメリット

暗号化した外部ストレージは、紛失時の情報流出リスクを抑えてくれる一方で、マウントするたびにパスワード入力が必要になるなど使い勝手がやや低下する。また、APFS形式でフォーマットした外部ストレージは、Windowsに接続しても認識されなくなるので注意だ。MacとWindowsの両環境で使える暗号化ドライブを作りたい場合は、別途「VeraCrypt」などのアプリを使うとよい。

VeraCrypt
https://veracrypt.
fr/en/Home.html

058

フォント

さまざまなフォントをインストールしておこう
MacBookで使える
フォントを追加する

フォントの追加と管理方法を覚えておこう

macOSでは、各種アプリで利用するフォント（書体）を自由にインストール可能だ。フォントは「Font Book」という標準アプリで管理できる。インターネットからフリーフォントなどをダウンロードした場合は、右で解説している手順でインストールしておこう。なお、一部有料フォントの場合は、メーカーごとにフォントのアクティベート方法が異なる。サービスごとに推奨される手順でインストールすること。

Macにインストールできるおもなフォント形式

MacのFont Bookにインストールできるおもなフォント形式は、「.otf (Open Type Font)」、「.ttf (True Type Font)」、「.ttc (TrueType Collection)」などだ。

A-OTF-ShinGo...-Bold.otf

Monaco.ttf

Apple Color Emoji.ttc

Font Bookでフォントをインストールして管理しよう

1 Font Bookにフォントファイルをドラッグ&ドロップしてインストール

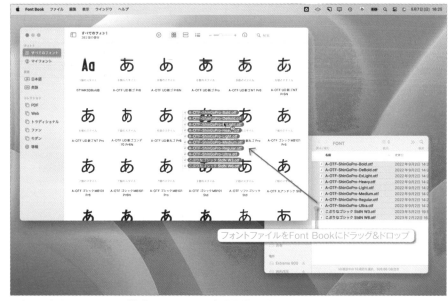

フォントファイルをFont Bookにドラッグ&ドロップ

まずはアプリケーションフォルダからFont Bookアプリを起動しよう。インストールしたいフォントファイルをFont Bookアプリのウインドウ内にドラッグ&ドロップする。これでフォントがインストールされる。

2 フォントファイルのダブルクリックでもインストール可能だ

フォントファイルをダブルクリックしてもインストールが可能だ。ただし、一部フォントは直接Font Bookにドラッグ&ドロップしないとインストールできないものもある。

3 アプリでインストールされたか確認してみよう

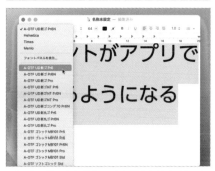

テキストエディットなど、フォントに対応したアプリでフォントリストを表示。インストールされたフォントが使えるかどうかを確認しておこう。

4 不要なフォントを無効化する

フォントを右クリックして「無効化」を実行する。無効化したフォントはあとで有効化が可能だ

フォントをたくさんインストールすると、アプリの起動や動作が遅くなることある。しばらく使っていない不要なフォントは無効化しておくのがおすすめだ。

POINT

Windowsのフォントをマックにインストールできる?

Windowsにインストールされているフォントをマックでも使いたい場合は、フォントファイルをそのままマックにコピーしてインストールすればいい。.otfや.ttf、.ttc形式のフォントファイルであれば、多くの場合そのまま使える。なお、フォントごとのライセンスで、複数台での使用が認められているかも確認しておこう。

Windowsのフォントファイルは、Cドライブ直下にある「Windows」フォルダ→「Fonts」フォルダに入っている。これを外付けストレージなどを使ってマックにコピーしてインストールしよう。

「探す」アプリなどを使って探そう

紛失したMacBookを見つけ出す

あらかじめ機能が有効になっているかチェック

MacBookの紛失に備えて、iCloudの「探す」機能をあらかじめ有効にしておこう。万一MacBookを紛失した際は、iPhoneやiPadを持っているなら、「探す」アプリを使って現在地を特定できる。または、家族や友人のiPhoneを借りて「探す」アプリの「友達を助ける」から探したり、パソコンやAndroidスマートフォンのWebブラウザでiCloud.com（https://www.icloud.com/）にアクセスして「探す」から探すことも可能だ。どちらも2ファクタ認証はスキップできる。また、紛失したMacBookの「"探す"ネットワーク」がオンになっていれば、オフラインの状態でもBluetoothを利用して現在地が分かる。なお、「探す」アプリではさまざまな遠隔操作も可能だ。「紛失としてマーク」や「ロック」を有効にすれば、即座にMacBookはロックされ、画面に拾ってくれた人へのメッセージや電話番号を表示できる。地図上のポイントを探しても見つからない場合は、「サウンドを再生」で徐々に大きくなる音を鳴らして発見をサポートしてくれる。発見が難しく情報漏洩阻止を優先したい場合は、「このデバイスを消去」ですべてのコンテンツや設定を消去しよう。初期化しても、アクティベーションロック機能により他人に勝手に使われない仕組みになっている。

「探す」の設定と紛失したMacBookの探し方

1 「探す」の設定を確認する

「Macを探す」と「"探す"ネットワーク」のオンを確認

Appleメニューから「システム設定」を開き、一番上の「Apple ID」をクリック。「iCloud」→「Macを探す」がどちらもオンになっていることを確認。「プライバシーとセキュリティ」→「位置情報サービス」もオンにしておこう。

2 iPhoneなどの「探す」アプリで探す

「デバイスを探す」タブで紛失したMacBook名をタップ。オフラインの場合は、検出された現在地が黒い画面の端末アイコンで表示される

MacBookを紛失した際は、同じApple IDでサインインしたiPhoneやiPadなどで「探す」アプリを起動しよう。紛失したMacBookを選択すれば、現在地がマップ上に表示される。

3 友人のiPhoneで友だちを助けるをタップ

タップ
友達を助ける

家族や友人のiPhoneを借りて探す場合は、まず「探す」アプリで「自分」タブを開き、下の方にある「友だちを助ける」をタップ。するとSafariでiCloud.comのサインイン画面が開くので、「サインイン」をタップする。

4 2ファクタ認証不要で「探す」を利用できる

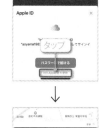

紛失したMacBookを選択

「別のApple IDを使用」をタップし、自分のApple IDを入力してサインインを済ませると、2ファクタ認証も不要で「探す」画面が表示される。デバイス一覧から、紛失した自分のMacBookを選択しよう。

5 サウンドを鳴らして位置を特定

タップして音を鳴らす。デバイスがオフラインの時は、次にオンラインになった時に再生される

マップ上の位置を探しても紛失したMacBookが見つからないなら、メニューから「サウンド再生」をタップしてみよう。徐々に大きくなるサウンドが約2分間再生され、MacBookの位置を特定できる。

6 Macをロックして紛失モードにする

クリックして画面に表示する電話番号やメッセージを入力する

「紛失としてマーク」の「有効にする」（iCloud.comでは「ロック」）をタップすると、MacBookをロックできる。画面上には連絡を促すメッセージなどを表示できるほか、クレジットカード情報なども削除される。

7 デバイスを消去して初期化する

メニューから「このデバイスを消去」（iCloud.comでは「Macを消去」）をクリックすると、MacBookを遠隔で初期化できる。情報漏洩阻止が最優先の場合に実行したい。ただし、消去を実行すると現在地を追跡できなくなるので操作は慎重に。また、現行のMacBookであれば、アクティベーションはロックされたまま初期化するので、再度初期設定を行う際は、初期化前に使っていたApple IDとパスワードが必要になる。つまり、「このデバイスを消去」が実行されたMacBookであっても、勝手に使われたり販売されたりする心配はない。なお、オフラインのデバイスは「このデバイスを削除」（iCloud.comでは「アカウントから削除」）を選択できるが、この操作を実行するとApple IDとの関連付けが解除されるので、自分で譲渡や売却するとき以外は選ばないようにしよう。

内部ストレージの整理方法やMacBookのお掃除アイテムなどを紹介

MacBookの内側も外側も スッキリ掃除しよう

1 内蔵ストレージの使用状況をチェックする

空き容量や 使用状況を確認する

MacBookの内蔵ストレージは、たくさんのデータを保存していくとそのうち容量不足になってしまう。容量不足になると、ファイルの保存やダウンロード、アプリの起動ができなくなるなどの不具合が出るので、内蔵ストレージの空き容量を定期的にチェックしておきたい。以下の2つの方法を覚えておけば、内蔵ストレージの空き容量および使用状況グラフを確認できるので覚えておこう。

1 内蔵ストレージの 空き容量を調べる

内蔵ストレージの空き容量を知りたい場合は、Finderのメニューから「移動」→「コンピュータ」を選び、「Macintosh HD」を選択した状態で「command」+「I」キーを押そう。情報ウインドウが表示され、ストレージの空き領域などを確認できる。

2 内蔵ストレージの使用状況を グラフで確認する

詳しい使用状況をチェックしたい場合は、「システム設定」→「一般」→「ストレージ」を表示しよう。内蔵ストレージの使用状況がグラフ表示される。「すべてのボリューム」をクリックすると、接続されている外部ストレージの使用状況もチェック可能だ。

2 ファイルやアプリをサイズ順に表示し不要なものを削除する

不要なものを削除して 空き容量を確保する

内部ストレージの空き容量が少なくなってきた場合は、不要なアプリやファイルなどを削除しておこう。「システム設定」→「一般」→「ストレージ」で「アプリケーション」または「書類」の「i」マークを押すと、アプリや書類ファイルを大きいサイズ順に表示できる。ここから不要なものを探して削除すれば、効率的に空き容量を確保可能だ。ただし、必要なアプリや書類ファイルまで消さないように注意しよう。

1 「システム設定」で ストレージを表示する

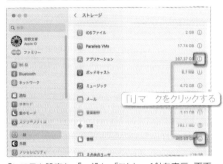

「システム設定」→「一般」→「ストレージ」を表示。画面下にスクロールして、「アプリケーション」および「書類」の「i」マークをクリックしてみよう。

2 不要なアプリケーションを 削除する

アプリケーションの「i」をクリックした場合、サイズの大きい順にアプリが表示される。不要なものがあれば選択して、「削除」ボタンでアンインストールしておこう。

3 不要な書類を 削除する

書類の「i」をクリックした場合、サイズの大きい順に書類ファイルが表示される。こちらも不要なものがあれば選択して、「削除」ボタンで削除しておこう。

不要ファイルの削除や
セキュリティ対策もこれ1本で

「CleanMyMac X」は、Mac内に溜まった不要ファイルや壊れたデータ、キャッシュなどをまとめて削除できるアプリだ。そのほかにもアプリのアンインストール機能、ウイルスやアドウェア対策機能、ストレージの状況を詳細に表示する「スペースレンズ」など、便利な機能を搭載。

CleanMyMac X
作者／MacPaw Inc.
価格／7日間の無料トライアル期間以降は
年額5502円〜
入手先／https://macpaw.com/ja/
cleanmymac

簡単に空き容量を確保できる

スキャンするだけで、Mac内の不要なファイルやキャッシュを検索して削除できる。ディスクの使用状況を詳細に表示したり、大容量かつ古いファイルだけを探し出したりなど、ディスクのクリーンアップに役立つ機能が満載だ。なお、アプリをダウンロードするには、公式サイトで年額のサブスクリプションまたは買い切りでライセンスを購入する必要がある。

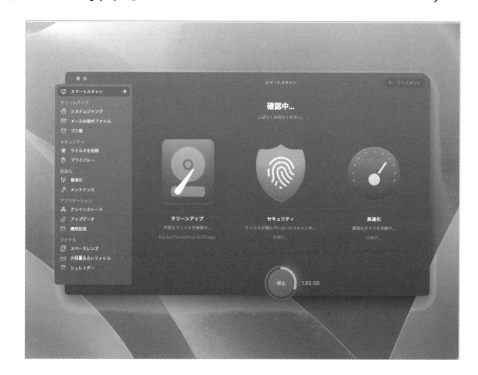

本誌おすすめの
お掃除グッズ

MacBookのキーボードやディスプレイもキレイにしたいなら、以下のようなメンテナンスグッズを揃えておくといい。カメラレンズ用のブロワーは、キーボードの隙間などに入り込んだほこりを吹き飛ばすのに役立つ。ディスプレイに付いた指紋や汚れを落とすには、液晶専用のクリーナーとクロスを使おう。

キーボードの隙間の
ほこりを吹き飛ばす

カメラレンズ用のブロワー。キーボード周りのほこりを吹き飛ばすのにも最適だ。先端のノズルには、ショートタイプとロングタイプの2種類が付属。また、ロングタイプのノズルにはブラシを取り付けでき、隙間に入ったほこりを掻き出すのに便利だ。

液晶画面の
クリーニングに最適

液晶用のクリーナーと抗菌クロスのセット。独自配合の成分により、ディスプレイにナノレベルのコーティングを施し、指紋や雑菌、埃を寄せ付けない。ディスプレイの汚れが気になったら使ってみよう。

WHOOSH 液晶クリーナー
メーカー／WHOOSH
実勢価格／1,680円（税込）

Kenko クリーニング用品
パワーブロワー
ダブルノズルセット
メーカー／Kenko
実勢価格／1,100円（税込）

ブラシを付けられる

キーボードの掃除中に役立つ
キーボード無効化アプリ

KeyboardCleanTool
作者／folivora.AI GmbH
価格／無料
入手先／https://folivora.ai/
keyboardcleantool

MacBookのキーボードを掃除する際は、キーボード入力を一時的に無効化できる「KeyboardCleanTool」を使うとよい。アプリを公式サイトからダウンロードして起動したら、「Click to start cleaning mode / lock the keyboard!」ボタンを押そう。キーボード入力が無効化され、再びボタンを押せば有効化される。なお、初回起動時はアクセシビリティの設定が必要なので、表示される手順に従って許可しておこう。

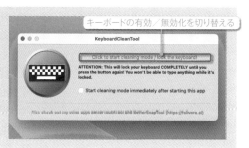
キーボードの有効／無効化を切り替える

MacBook Benrisugiru! Techniques

MacBook
便利すぎる！
テクニック

S   T   A   F   F

Editor	清水義博（standards）
Writer	狩野文孝 西川希典
Cover Designer	高橋コウイチ（wf）
Designer	高橋コウイチ（wf） 越智健夫

2023年6月10日発行

編集人	清水義博
発行人	佐藤孔建
発行・ 発売所	スタンダーズ株式会社 〒160-0008 東京都新宿区四谷三栄町 12-4 竹田ビル3F TEL 03-6380-6132
印刷所	中央精版印刷株式会社

 https://www.standards.co.jp/